D0892682

Dr Marie HAUTIER
Rony SEIF

CHOISIR LE SEXE DE SON ENFANT

A ma famille.

Marie Hautier

A mes parents, qui, à chacune des quatre naissances qu'ils ont connues, espéraient avoir une fille qu'ils n'ont jamais eue.

Rony Seif

*Rien de ce qui résulte du progrès humain
ne s'obtient avec l'assentiment de tous.
Ceux* qui aperçoivent la lumière avant les autres
sont condamnés à la poursuivre en dépit des autres.*

Christophe Colomb

---

* Nous pensons à tous les explorateurs qui, quel que soit le domaine de leur exploration : l'anthropologie, la géographie, la biologie, la médecine, la physique, la chimie... ont toujours rencontré des obstacles. Nous leur dédions ce livre.

SOMMAIRE

—

AVANT-PROPOS

—

C'est sans doute l'immense injustice due au hasard qui nous a motivés pour écrire ce livre sur le choix du sexe. Sous le prétexte de laisser faire la nature, des millions de familles se trouvent composées d'enfants du même sexe, sans l'avoir vraiment voulu. Depuis que nous avons découvert que nulle part n'est évoquée cette conséquence inique et imméritée, fruit du hasard, notre désir d'en savoir plus, afin de modifier les termes de cette loterie, n'a fait que s'accroître.

LE HASARD

Le hasard ne remplit absolument pas son rôle, ni au niveau de la nation, ni au niveau de chaque foyer, si on considère que ses effets doivent conduire à autant de filles que de garçons, et donc autant de femmes que d'hommes.

Au niveau de la nation, il avantage la naissance des garçons. Bien que cet avantage ne soit pas important, il est non négligeable : on a tous un peu plus de chances d'avoir un garçon plutôt qu'une fille si on laisse faire la nature. Par ailleurs, il faut savoir que ce n'est qu'à l'âge de 48 ans qu'il y a autant de femmes que d'hommes en France : les hommes sont majoritaires avant cet âge et les femmes ensuite.

Quant aux familles, leur situation est plutôt caricaturale : 50 % des couples qui désirent un foyer de deux enfants auront des enfants du même sexe et seules 50 % de familles chanceuses pourront se réjouir d'avoir un foyer équilibré avec une fille et un garçon.

Ainsi, bien que l'équilibre démographique au niveau de la société tout entière entre hommes et femmes soit important, et que nous soyons les derniers à le remettre en cause, il ne doit plus se faire au détriment de chaque famille.

Tout compte fait, il s'avère que le dicton « la nature fait bien les choses » est loin d'être vrai dans ce cas de figure. Voilà pourquoi nous avons perdu toute confiance dans la « nature », comme sûrement des milliers d'entre vous : on ne peut pas confier notre vie au seul fait du hasard.

LA NORME FRANÇAISE

Selon Laurent Toulemon, de l'Institut national d'études démographiques, il existe en France une norme bien établie d'une famille à deux enfants [2]. Ses propos sont confirmés dans le bilan démographique de l'Insee pour l'année 1995. En effet, la France, qui compte 58,3 millions d'habitants, a connu près de 729 000 naissances. L'indice de fécondité national est de l'ordre de 1,7 enfant par femme avec des écarts pouvant aller de 1,5 à 2 suivant les départements.

Par ailleurs, la plupart des études montrent la grande volonté des couples d'avoir des familles équilibrées entre garçons et filles, comme vous le constaterez plus loin. Si la «norme française» est de deux enfants par couple, cela se traduira par un désir d'avoir un enfant de chaque sexe. Souhait qui, malheureusement, n'est exaucé que pour la moitié des gens. L'autre moitié doit se contenter de ce que le hasard a décidé pour eux, deux garçons ou deux filles.

CHOISIR LE SEXE DE VOTRE FUTUR BÉBÉ

Malgré l'indifférence ironique de certains, nous confirmons dans ce livre que les évidences scientifiques s'accumulent au fil des années, et que la volonté de changer les choses est rendue possible aujourd'hui. En cette fin de siècle, le fait de nier que l'on puisse augmenter considérablement ses chances d'avoir un enfant du sexe désiré relève plus de l'obscurantisme que d'une démarche scientifique. Certains spécialistes considèrent ces méthodes comme inefficaces, sous prétexte qu'elles ne dépassent pas 90 % de succès [3]. Nous nous en remettons à vous pour juger de l'efficacité de ces méthodes avec les résultats des principaux chercheurs qui sont rappelés dans ce livre et qui avoisinent les 80 % de réussite.

Dans un premier temps, nous évoquerons la frustration des familles qui, soumises aux lois du hasard, sont privées du bonheur d'avoir un garçon et une fille. Ensuite nous ferons un clin d'œil humoristique à nos ancêtres qui, malgré leur peu de connaissances scientifiques, tentaient d'influencer le hasard.

Puis nous aborderons la fertilité, qui est la condition indispensable à toute grossesse. Aujourd'hui, de nombreux facteurs l'altèrent, augmentant le délai nécessaire pour concevoir. Néanmoins, certaines précautions pourront vous prévenir de longues attentes souvent angoissantes.

Les trois chapitres suivants seront consacrés à toutes les méthodes qui existent actuellement pour choisir le sexe de votre futur bébé et qui ont fait l'objet de publications scientifiques. On peut les classer en trois catégories :

• **La méthode diététique** : qui repose sur l'influence de l'alimentation.

• **Les méthodes naturelles** : applicables au moment des rapports sexuels.

• **Les méthodes médicalement assistées** : lorsque l'intervention médicale s'avère nécessaire.

Le dernier chapitre traitera des conséquences possibles découlant d'une application large de ces méthodes dans le monde. Bien qu'il soit difficile de faire des prédictions, et tout en évitant les déclarations sensationnelles, nous avons tenté d'y répondre de manière objective.

A la fin de ce guide, vous trouverez une table de composition minérale de quelques centaines d'aliments. Celle-ci nous a permis d'établir une liste très détaillée des aliments conseillés ou déconseillés pour avoir une fille ou un garçon, et elle vous permettra de réaliser les plats les plus compliqués tout en respectant votre régime.

Etant donné que la détermination de l'ovulation est

une étape primordiale, en plus du grand chapitre qui lui a été consacré regroupant la plupart des techniques existant actuellement (y compris les plus récentes comme les tests urinaires), un tableau récapitulatif facilitant cette détermination a été placé en annexes.

Pour compléter le sujet, quelques livres vous sont conseillés.

Sachez enfin que ce travail s'appuie sur une bibliographie de plus de 300 articles tirés des principaux ouvrages et revues de référence. L'abondance des publications, notamment dans les revues anglo-saxonnes, reflète le grand intérêt du monde scientifique pour ce sujet. En épluchant les articles, nous avons pu nous convaincre de l'efficacité des méthodes diététique et naturelles ; cela nous a également permis de pouvoir intégrer à cet ouvrage les progrès les plus récents non publiés jusqu'alors, telles les méthodes médicalement assistées. Notre démarche, en rédigeant ce guide, était d'écrire un premier ouvrage de référence sur un sujet controversé, en insistant sur le caractère scientifique des données, ce qui doit vous rassurer sur le sérieux de son contenu.

L'OPPOSITION SYSTÉMATIQUE

Dans un commentaire sur les méthodes médicalement assistées, à l'occasion de l'ouverture à Londres d'une clinique pratiquant la méthode d'Ericsson, certaines personnalités ont déclaré leur opposition à la pratique de cette technique en France. Elles expliquent « *qu'il s'agit là d'une dérive éthique* » car « *toute société doit respec-*

ter l'équilibre naturel, qui est d'avoir autant de filles que de garçons ».

Indépendamment des arguments précédents, nous nous interrogeons sur les bien-fondés de cette dérive éthique dont elles parlent, car le but de cette clinique n'est-il pas effectivement d'établir ou de rétablir un équilibre inexistant au niveau de chaque famille. En effet, pour être acceptés, les couples doivent déjà avoir un enfant et il faut que le sexe souhaité de l'enfant à venir soit différent. L'étude publiée par cet établissement après deux années d'activité confirme l'application stricte de ces conditions (1). Elle montre précisément que sur 800 couples ayant fait une demande, ceux qui souhaitaient un garçon avaient en moyenne 0,09 garçon et 2,7 filles, alors que ceux qui désiraient une fille avaient 2,46 garçons et 0,14 fille. Ainsi, le recours à cette méthode médicalement assistée pour la prédétermination du sexe n'est utilisé que pour équilibrer la composition d'une famille.

Cette attitude est non sans nous rappeler celle d'une époque où beaucoup de personnalités s'opposaient sans nuances à la contraception et à l'IVG. A chaque fois qu'une nouvelle étape est franchie, quel que soit le domaine et notamment en médecine, les opposants ne manquent pas de nous prévenir de la dérive éthique et eugénique possible de ces pratiques. Ce fut notamment le cas :

— dans les années 60 avec la légalisation de la contraception…

— dans les années 70 avec la pratique de l'amniocentèse, la légalisation de l'interruption volontaire de grossesse, la fécondation in vitro…

— dans les années 80 avec le premier bébé-éprouvette, les prélèvements fœtaux…

— et dans les années 90 avec les prélèvements embryonnaires, la prédétermination du sexe…

Grâce à la contraception (surtout la pilule), on a reconnu au couple, et notamment à la femme, le droit de choisir le moment venu pour avoir un enfant et de contrôler le nombre de naissances par famille. C'était aussi le droit de la femme au plaisir sans enfant. La légalisation de l'avortement a renforcé cette nouvelle liberté. Aujourd'hui, le choix du sexe de son enfant par les couples ne sera rien d'autre que le droit légitime du couple à une famille équilibrée.

Ainsi, à entendre les détracteurs, nous pouvons craindre que, derrière leur opposition à ce choix, ne soit cachée une opposition plus forte à l'avortement, voire à la contraception.

L'ENFANT IMAGINAIRE

Pour d'autres critiques, la préférence n'existe pas ou plutôt ne devrait pas exister. Cette attitude ignore un aspect psychologique important qui accompagne l'état de grossesse. En effet, nous remarquons que si certaines personnes n'avaient aucune préférence avant la grossesse, il en va tout autrement quand celle-ci survient. Surgit alors dans leur pensée ce que l'on a appelé « l'enfant imaginaire ».

Le couple se fait une idée de l'enfant à naître qui résume tous leurs espoirs, leurs angoisses et leurs fantasmes. Bien évidemment, il lui attribue un sexe et il n'y a pas de honte à cela, notre nature psychologique étant faite ainsi.

POUR CONCLURE

Certains parleront de l'égoïsme des parents qui choisissent le sexe de leur enfant. On oublie dans ce genre d'argument que rien de tout ce qui suivra la naissance d'un enfant ne sera laissé au hasard : du prénom à l'alimentation, à l'habillement, à la religion, à l'éducation, à l'école, aux sorties, aux loisirs, aux amis, etc.

En réalité, le choix du sexe apparaît comme une toute petite décision, sans aucune conséquence pour l'enfant lui-même, comparé à toutes les décisions qui suivront sa naissance et qui marqueront profondément sa personnalité. Est-ce de l'égoïsme que de décider de tout cela ?

Nous ne le croyons pas. La volonté d'avoir un enfant, que l'on choisisse ou non le sexe, puise toujours ses racines dans l'amour que l'on désire lui porter et non dans l'égoïsme. Pourtant, certains insistent sur ces aspects négatifs et veulent que vous ignoriez qu'il existe des moyens pour contrecarrer l'effet du hasard. Bien entendu, nous nous trouvons à l'opposé de cette attitude, et nous espérons que les chapitres qui suivent sauront vous en convaincre.

1

POURQUOI UNE TELLE INJUSTICE ?

—

Afin de justifier l'utilisation en début d'introduction du mot « injustice », nous sommes amenés à vous exposer brièvement les résultats de deux enquêtes parmi les plus sérieuses et les plus objectives déjà réalisées sur ce sujet. Ces enquêtes, menées par un sociologue américain, portaient sur un échantillon de plusieurs milliers de femmes américaines mariées. Elles ont permis d'attirer l'attention sur l'incroyable égalité des chances pour nous tous d'avoir des familles non équilibrées (4,5).

LES FAMILLES DE 2 ENFANTS

Nous commencerons par l'étude des familles de deux enfants, dont les résultats ont été portés dans le tableau qui suit. Il s'agit d'un groupe de 1 000 femmes ayant déjà eu deux enfants, à qui on a demandé ce qu'elles auraient souhaité avoir si c'était à refaire. Nous utiliserons la lettre « G » pour désigner les garçons et « F » pour les filles.

1°	2°	Théorique	Observé	Souhaité
G	F	250	251	504
F	G	250	248	286
G	G	250	264	128
F	F	250	237	82
Total		1 000	1 000	1 000

Les colonnes « numérotées » représentent l'ordre des naissances pour chaque famille, en commençant par le premier enfant.

Les chiffres de **la colonne « théorique »** correspondent au nombre total de familles qu'on devrait avoir théoriquement. Sachant que la probabilité de base d'avoir un garçon ou une fille à chaque naissance est de 1/2, la probabilité d'avoir deux enfants (deux naissances), quels que soient leur sexe et l'ordre de leur naissance, est : 1/2 × 1/2 = 1/4. L'échantillon étant de mille familles, ainsi le nombre théorique sera de 250 pour chaque groupe.

Les chiffres de **la colonne « observée »** correspondent au nombre total de familles constaté naturellement chez les femmes qui ont participé à l'enquête, en l'absence de toute prédétermination du sexe.

Les chiffres de **la colonne « souhaitée »** sont calculés d'après les préférences exprimées par les participantes ; ils correspondent au nombre de familles qui aurait été observé si toutes ces femmes avaient utilisé une méthode de prédétermination du sexe efficace à 100 %.

Comme vous l'aurez remarqué :

— Les chiffres « observés » sont presque égaux aux chiffres « théoriques ». En réalité, il naît un peu plus de garçons que de filles.

— Les chiffres « observés » pour chaque ordre de naissance sont approximativement les mêmes : on a 251 couples G/F (qui ont eu un garçon en première naissance suivi par une fille en deuxième naissance), et presque autant de F/G ou de G/G ou F/F.

Au vu de ces résultats, nous retiendrons les deux éléments les plus intéressants :

1° Parmi les femmes qui ont deux enfants, près de **80 % désiraient avoir deux enfants de sexe différent**, sans tenir compte de l'ordre des naissances (504 G/F + 286 F/G), alors qu'elles n'ont été que 50 % à être dans cette situation (251 G/F + 248 F/G).

2° Les femmes qui ont deux enfants du même sexe représentent 50 % de l'étude (264 G/G + 237 F/F), alors qu'elles n'ont été que 20 % à le souhaiter réellement (128 G/G + 82 F/F). Ainsi, on note que près de 30 % des femmes qui souhaitent deux enfants se retrouvent avec des enfants du même sexe alors qu'elles auraient voulu deux enfants de sexes opposés.

Ce chiffre de 20 % de femmes souhaitant deux enfants du même sexe nous paraît élevé, car il est fort probable qu'un certain nombre d'entre elles envisageaient sans doute d'avoir un 3e enfant de sexe différent, mais on ne leur a pas posé la question.

Par conséquent, on peut estimer que parmi les couples qui désirent une famille de deux enfants, et qui n'utiliseront aucune méthode pour contrecarrer la tendance naturelle :

— 50 % d'entre eux se retrouveront avec deux enfants de sexe différent, et seront satisfaits ;

— entre 0 et 20 % d'entre eux se retrouveront avec deux enfants du même sexe, et seront satisfaits ;

— **entre 30 et 50 %** d'entre eux **se retrouveront avec deux enfants du même sexe**, mais ne seront pas satisfaits car ils auraient souhaité un enfant de chaque sexe.

LES FAMILLES DE 3 ENFANTS

On peut tenir la même analyse et le même raisonnement dans la catégorie des familles de trois enfants, dont les résultats se trouvent dans le tableau ci-dessous :

1°	2°	3°	*Théorique*	*Observé*	*Souhaité*
G	F	G	125	129	278
G	F	F	125	122	227
F	G	G	125	127	133
F	G	F	125	121	153
G	G	G	125	135	19
G	G	F	125	128	109
F	F	G	125	121	69
F	F	F	125	115	13
Total			1 000	1 000	1 000

La différence avec les résultats de l'étude sur les familles à deux enfants réside dans le fait que le nombre d'enfants étant impair, il est impossible pour chaque couple d'avoir autant de garçons que de filles.

Nous remarquerons aussi que le décalage qui existe entre les chiffres « observés » et les chiffres « souhaités » pour les groupes de familles ayant des enfants du même sexe (trois garçons ou trois filles) est encore plus significatif que dans les familles de deux enfants. En effet, **25 %** des femmes voulant une famille de trois enfants **se retrouvent avec trois enfants du même sexe** (trois garçons ou trois filles), alors qu'elles n'étaient que 3 % à souhaiter une telle configuration à leur famille.

LES FAMILLES DE 4 ENFANTS

Parmi celles souhaitant 4 enfants, le calcul montre que **12,5 %** de ces femmes **se retrouvent avec quatre enfants du même sexe** (des garçons ou des filles), alors qu'elles ne sont que 0,6 % à souhaiter un tel sort. Si on reporte ces calculs à un échantillon de mille femmes, 125 d'entre elles obtiendront quatre garçons ou quatre filles, alors qu'elles ne seront que six à en être satisfaites.

POUR CONCLURE

Si aucune méthode de prédétermination du sexe n'est utilisée :

• la moitié des couples qui désirent une famille de deux enfants se retrouveront avec deux enfants du même sexe ;

• le quart des couples qui désirent une famille de trois enfants se retrouveront avec trois enfants du même sexe ;
• un couple sur dix désirant une famille de quatre enfants se retrouvera avec quatre enfants du même sexe.

Dans tous ces cas de figure, la grande majorité de ces personnes n'ont jamais souhaité une telle destinée, voire n'y ont pas pensé auparavant. Si ces situations sont loin d'être dramatiques, nous pouvons dire sans aucune culpabilité que notre grand souhait serait d'avoir au moins un enfant de chaque sexe, ce qui est loin d'être le cas aujourd'hui.

2

L'AVENTURE
À TRAVERS LES SIÈCLES
—

Bien que les rois fussent au fait des dernières nouveautés, ils ne se trouvaient pas être les seuls à se soucier du sexe de leur descendance. Il y a des milliers d'années, la préoccupation essentielle des humains devait être la survie, cependant, les éternelles questions hantaient déjà leur esprit : d'où venons-nous, où allons-nous, sommes-nous seuls sur terre ou dans l'univers, pourquoi telle naissance est une fille et telle autre un garçon, comment faire pour changer les choses, avoir un héritier ou une confidente… ?

Nous décrirons ces anciennes théories, non pour les perpétuer, mais plutôt pour en rire. Nous devons bien admettre que nos ancêtres avaient une grande imagination, certaines fois basée sur de réelles observations, mais le plus souvent leurs théories nous apparaissent comme relevant de la pure fantaisie.

Les deux conditions nécessaires et évidentes pour procréer et qui n'ont jamais été remises en cause à travers les siècles (mis à part le cas de la vierge Marie) étaient les suivantes :

— il faut deux personnes de sexes opposés,

— et qu'elles aient un rapport sexuel (alors qu'actuellement, avec l'insémination artificielle, on peut procréer sans avoir de rapports sexuels).

QUE PENSAIENT NOS ANCIENS PHILOSOPHES ET MÉDECINS ?

Alors que les Egyptiens, 2000 ans avant J.-C. (15), savaient déjà que la castration conduisait à la stérilité, les théories les plus anciennes pour influencer la détermination du sexe remontent au temps des Grecs.

Selon Hippocrate, le plus grand médecin de l'Antiquité, l'utérus se divisait en deux parties, les garçons se développaient dans la partie droite de l'utérus et les filles dans la partie gauche (6). La main droite étant considérée comme la plus forte et la plus habile, le côté droit avait été attribué arbitrairement aux garçons ! Cette théorie a servi à Aristote de base pour l'élaboration d'une des toutes premières méthodes pour obtenir un enfant du sexe désiré. Ainsi, Aristote fut l'un des philosophes qui réfléchirent le plus sur la question, allant jusqu'à consacrer un ouvrage entier à la biologie de la reproduction et à l'histoire naturelle (1). D'abord, il conseillait aux femmes de s'allonger sur le côté droit après le coït si elles désiraient un garçon ou sur le côté gauche si elles voulaient une fille (5). Par ailleurs, il estimait que le partenaire ayant la plus grande vigueur durant l'acte sexuel influençait la détermination du sexe (3). Certains lui attribuent également la thèse sur l'influence des vents : des rapports sexuels faits dans le vent du nord favoriseraient les garçons, et dans le vent du sud favoriseraient les filles (14).

Nous vient également des Grecs la théorie de Galien, un grand anatomiste de son époque, selon laquelle le sexe mâle est déterminé par le testicule droit, alors que le testicule gauche détermine le sexe féminin (9, 13). De là, il y a eu deux versions. La première, et la plus simple, consistait à pincer le testicule correspondant au sexe que l'on ne désire pas au moment crucial de l'éjaculation. Dure épreuve, non ? La deuxième version était plus radicale car il fallait isoler le testicule correspondant au sexe indésirable par un fil, empêchant ainsi le sperme qu'il contient de « sortir ».

LA RENAISSANCE DES THÉORIES

Au Moyen Age, il était recommandé de manger les parties génitales du lapin correspondant au sexe désiré (11), les testicules d'un mâle pour avoir un garçon et les entrailles d'une femelle pour avoir une fille… et bon appétit !

Le 18e siècle a vu resurgir d'anciennes théories, comme celle de la vigueur au moment de la conception (13).

Par ailleurs, la noblesse française a voulu longtemps croire au pincement ou même à l'ablation du testicule gauche pour être sûr d'avoir un héritier afin de « sauver l'honneur et la fortune » (4).

Le 19e siècle a été le siècle de l'avènement d'une nouvelle théorie qui s'est voulue plus scientifique car elle était basée sur les statistiques des naissances. En effet, plusieurs études ont amené leurs auteurs à conclure que c'était le parent le plus âgé qui déterminait ou influençait le sexe de l'enfant (7,10,12) :

- plus l'homme était jeune par rapport à la femme, plus la chance d'avoir une fille était grande ;

- plus l'homme était âgé par rapport à la femme, plus la chance d'avoir un garçon était grande ;

- à âge égal, on avait presque autant de chance d'avoir un garçon qu'une fille.

L'existence de deux ovaires chez la femme a été invoquée par certains pour lancer une nouvelle version de la théorie « droite-gauche », ce qui ne manqua pas de tromper plus d'un couple. Selon son auteur, le sexe était prédéterminé par les ovaires (2) : l'ovaire droit donnait un œuf garçon, l'ovaire gauche un œuf fille, et l'ovulation se faisait par alternance. Par conséquent, un « cycle garçon » était suivi d'un « cycle fille », etc. Un calcul fastidieux après la naissance du premier enfant (dont on ne pouvait pas choisir le sexe) était nécessaire afin de déterminer les cycles où la conception donnerait des garçons et ceux où elle donnerait des filles.

LES TEMPS MODERNES

Jusqu'au 20e siècle, ces théories extravagantes ne furent pas vraiment remises en cause. Bien qu'avec le temps, on se soit rendu compte que des hommes ou des animaux à moitié castrés continuaient de donner des progénitures des deux sexes ; et des femmes ou des animaux auxquels on avait enlevé un ovaire parvenaient à engendrer les deux sexes ; certaines femmes jusque dans les années 70, dans certaines régions de la Floride par exemple, continuaient de pincer les testicules de leur mari avant de s'allonger à droite ou à gauche, en espérant avoir le garçon ou la fille désiré (8).

Par ailleurs, beaucoup de gens ont prêté une attention particulière aux influences extraterrestres : comme la position des étoiles, du soleil, ou de la lune... bref, l'astrologie s'en est mêlée.

Parmi les toutes dernières théories loufoques, on peut citer celle relatée dans le célèbre «New York Times» concernant les expériences d'un fermier (14). Ce dernier prétendait que le soleil exerçait une attraction sur le sperme à l'exemple de l'attraction lunaire sur les mers, déterminant les marées. Il prétendait que «le soleil attirait le sperme féminin» (les spermatozoïdes porteurs du chromosome X). En conséquence, il suffisait d'avoir des rapports sexuels en respectant un alignement physiologique du pénis — vagin — soleil pour avoir une fille (la femme aura le dos face au soleil) et l'inverse pour espérer un garçon. En attirant les spermatozoïdes X, le soleil favoriserait, suivant le sens du vagin, la conception de garçons ou de filles.

Sachez également qu'autrefois, en Suède, certaines femmes prenaient des jeunes garçons dans leur lit le soir de leur noce, pensant que cela les aiderait à concevoir un garçon la nuit suivante.

Et quelque part en ex-Yougoslavie, on raconte que le garçon allait jusqu'à passer même la nuit avec les jeunes mariés (14). Avouez au moins que pour son éducation sexuelle, cet enfant sera plutôt en avance. Quant au succès de cette méthode, c'est une autre histoire...

3

LA FERTILITÉ

—

Avant de souhaiter un garçon ou une fille, tout couple doit mettre de son côté toutes les chances pour que la femme puisse être enceinte. Les quelques conseils qui vont suivre ont pour but de vous avertir de l'existence de certains facteurs qui risquent de diminuer votre fertilité. Mais rassurez-vous, la plupart de ces effets sont réversibles, et c'est la raison pour laquelle nous avons inséré ce chapitre qui s'adresse aussi bien aux femmes qu'aux hommes.

LE MODE DE VIE

1. Le stress

Sans vouloir être caricatural, le « stress », au sens large du terme, est considéré comme le premier ennemi du couple (14) : inquiétude, émotions, fatigue des transports, exigences professionnelles, désir d'avoir un enfant rapidement, etc. En effet, ce stress peut dégrader la qualité relationnelle du couple et avoir un effet très négatif sur sa vie sexuelle et sa reproduction : baisse du désir et des rapports sexuels, troubles de l'érection, diminution de la production de spermatozoïdes, ovulation anarchique, cycles sans ovulation...

Ainsi, ne sous-estimez pas l'influence du psychisme sur votre fertilité, essayez de «donner du temps au temps», de prendre des vacances, de changer vos habitudes, d'avoir des activités sportives ou culturelles, etc., bref, de vous détendre.

2. Les vêtements

On a remarqué qu'une élévation de la chaleur des testicules perturbait la production des spermatozoïdes chez l'homme [8]. En effet, il règne une température de 34° dans «ces usines», alors que notre corps se trouve à 37°. Ainsi, les pantalons serrés, les slips et les pyjamas, en rapprochant les testicules du corps, augmentent leur température et diminuent la quantité et la qualité des spermatozoïdes qui sont fabriqués. Par conséquent, sachez rester décontracté et prouvez-le dans votre façon de vous habiller ; une nette amélioration pourrait en découler même si elle reste imperceptible.

3. Les toilettes et douches vaginales

Chez la femme, de longues séances de toilette vaginale avec beaucoup de savon ou de shampooing moussant, juste avant ou après un rapport sexuel, risquent de rendre le milieu vaginal encore moins accueillant pour les spermatozoïdes qu'il ne l'est d'habitude. Dès lors, procédez à votre toilette intime à distance des rapports sexuels. Par ailleurs, nous vous conseillons d'éviter les douches vaginales car elles peuvent avoir des effets défavorables sur votre fertilité (2).

CONSOMMATIONS DIVERSES

Nous nous limiterons ici aux effets de certaines consommations sur la fertilité, et non sur la détermination du sexe. La méthode diététique sera décrite dans le chapitre suivant.

1. L'alimentation

Il existe une étroite relation entre l'alimentation et notre fertilité (5). En effet, il a été relevé dans de nombreuses études que des apports nutritionnels inadaptés aux dépenses d'énergie, notamment lors d'un amaigrissement ou lors d'une activité physique importante, pourraient être à l'origine de troubles de l'ovulation. La situation extrême étant la femme sportive ayant une alimentation végétarienne hypocalorique, sans apport en protéines animales. D'un autre côté, un excès de poids peut également s'accompagner de troubles du cycle menstruel. Ainsi, soyez attentive à ce que votre apport calorique soit dans les normes (voir « La méthode diététique »).

De même, on a noté chez certains hommes obèses des perturbations de leur spermogramme, qui sont atténuées par une perte du poids notable (11).

2. Le café

Parmi les boissons de grande notoriété en France, nous parlerons en premier du café, dont la consommation quotidienne est de l'ordre de deux tasses par personne. Ses propriétés sont dues à la caféine, présente également dans d'autres produits comme le thé et les sodas du type pepsi-cola. Parmi celles-ci, on peut noter l'action excitante sur le système nerveux et tonifiante pour le cœur.

Consommée en quantité modérée, la caféine augmente la mobilité des spermatozoïdes et par conséquent la fécondité de l'homme, alors qu'elle n'a aucun effet sur la fertilité de la femme (18).

Ainsi, nous conseillons aux hommes une petite tasse de café une heure avant le rapport sexuel, qui vous ragaillardira, ainsi que vos spermatozoïdes. Ce conseil est plus particulièrement destiné à ceux qui ont quelques problèmes pour procréer.

Cependant prenez garde : l'association d'une forte consommation de café (plusieurs tasses par jour) et de tabac (à partir d'un paquet par jour) peut diminuer la fertilité des deux sexes et prolonger le délai de procréation.

3. Le tabac

Le tabac serait responsable d'une diminution de la qualité du sperme chez l'homme (23), et d'un allongement du délai de conception chez la femme (16). Une très nette amélioration du nombre et de la qualité des spermatozoïdes a pu être notée chez des hommes stériles après l'arrêt du tabac (11). D'autre part, il semblerait que la prise de 200 mg/j de vitamine C pourrait améliorer la qualité du sperme chez les gros fumeurs (12).

4. L'alcool

Les effets d'une consommation modérée d'alcool sur la fertilité masculine sont discutés, même si on a pu noter une diminution de la libido et des troubles de l'éjaculation chez les alcooliques chroniques, et des lésions testiculaires chez les cirrhotiques (11), etc. Par contre, une consommation modérée d'alcool ne semble pas affecter la fertilité féminine (24).

5. Les stupéfiants

L'opium et ses dérivés (morphine, héroïne), la cocaïne et le haschisch sont connus pour leurs effets délétères sur le sperme (11). Alors que l'effet de la marijuana sur la fertilité de la femme est controversé (16).

6. Les boîtes de conserves

Selon une étude récente, le produit qui sert à enduire l'intérieur des boîtes de conserves pourrait avoir des effets comparables à ceux des hormones féminines (6). Si les femmes ne sont pas concernées, les hommes par contre peuvent voir leur fertilité affectée. Par précaution, choisissez de préférence des aliments conservés dans des bocaux en verre.

LA POLLUTION

L'enquête réalisée récemment par le Centre d'étude et de conservation des œufs et du sperme humains de l'hôpital Cochin a montré chez les hommes de la région parisienne une baisse de la quantité de spermatozoïdes de l'ordre de 2 % par an sur la période comprise entre 1973 et 1992 (1). Cette altération concerne également la qualité du sperme (le pourcentage de spermatozoïdes mobiles ou normaux).

Par ailleurs, une étude écossaise a également montré une chute de 25 % de la concentration en spermatozoïdes du sperme des hommes nés après 1970 par rapport à celui des hommes nés avant 1959 (15).

Ces résultats sont en accord avec la très vaste publication, regroupant plus d'une soixantaine d'études menées à travers le monde entre 1940 et 1990, constatant une très nette et significative chute de la production de spermatozoïdes (d'environ 50 %) (10).

Si on ne trouve pas les causes de cet appauvrissement en spermatozoïdes, on ne pourra évidemment pas freiner cette évolution. Pour l'instant, la fertilité générale des hommes ne semble pas en danger. Mais il est improbable que cette baisse de la qualité du sperme soit limitée dans le temps. Par conséquent, si elle continue au même rythme que ces cinq décennies, certains spécialistes pensent que, dans les années à venir, nous serons confrontés à un véritable problème de santé publique ; le nombre d'hommes infertiles se révélera plus important qu'aujourd'hui, d'où une baisse des naissances, et une augmentation des dépenses de santé pour l'assistance médicale à la procréation…

De nombreuses hypothèses sont avancées pour expliquer ce phénomène, mais rien ne permet de trancher. Cependant, il convient de souligner que la seule étude à contredire les résultats précédents, et notamment l'enquête parisienne, fut celle réalisée à Toulouse où la qualité du sperme semble être restée identique entre 1977 et 1992 (7). Selon l'équipe toulousaine, le mode de vie des habitants, et une meilleure qualité d'air et d'eau, pourraient expliquer cette divergence observée avec les résultats de l'enquête parisienne.

D'autre part, un rapport de l'Institut anglais pour l'environnement et la santé montre que l'eau potable pourrait contenir des substances qui auraient des effets identiques à ceux des hormones féminines (22). En France, il semble que la pollution de l'eau puisse être un phénomène général menaçant toutes les régions sans exception : de nombreux fleuves, rivières et nappes souterraines seraient contaminés par les herbicides, pesticides et insecticides de tout genre (13). La tentation est grande de faire un parallèle entre la dégradation de l'environnement et la chute de la qualité du sperme. Si la causalité est démontrée, la prévention de tels effets dépasserait le cadre individuel.

LES MÉTIERS OU LES ACTIVITÉS À RISQUE

1. La chaleur

Comme nous l'avons expliqué précédemment, la chaleur est nocive pour la fabrication des spermatozoïdes, qui se fait à une température située aux alentours de 34°.

Au-delà de ce seuil thermique, leur production est perturbée (8).

Certains professionnels comme les boulangers, les cuisiniers, les céramistes, les sidérurgistes ou les verriers, qui travaillent de longues heures près des fours, sont exposés à des sources de chaleur intense qui risquent de nuire à leur fertilité. Sans pour autant changer de métier, quelques précautions pourront atténuer les effets de la température comme le fait de rester à distance de la chaleur dès que le travail le permet.

Dans un tout autre contexte, la prise ou la fréquentation régulière de bains, saunas ou hammams très chauds, peuvent avoir les mêmes effets. Ils seront donc à éviter par les hommes.

Il existe une autre situation qui est à déconseiller car pourvoyeuse de problèmes de fertilité, c'est la position assise prolongée, au bureau comme en voiture (21). On estime même que le délai de conception d'un enfant pour un homme qui reste assis plus de trois heures d'affilée ou qui est exposé à une source de chaleur intense, serait rallongé de plusieurs mois par rapport à la normale. Alors, n'hésitez pas à vous lever fréquemment si vous travaillez de longues heures assis, à vous arrêter pour vous rafraîchir si vous avez de longs trajets en voiture, et évitez dans les deux cas les sièges en cuir même si l'on y est confortablement assis.

2. Les métaux, les pesticides

L'exposition prolongée et répétée à certains produits toxiques peut altérer la production spermatique. C'est notamment le cas avec l'absorption de métaux lourds (plomb, cadmium, mercure...) ou avec l'inhalation de certains pesticides (9)... Des vêtements appropriés et un équipement protecteur sont alors indispensables.

3. Les horaires

Chez les femmes, le problème se pose différemment. Il s'agit plutôt de métiers qui engendrent des perturbations du cycle menstruel, par des horaires variables (ou même de décalage horaire) ou nocturnes, comme c'est le cas des hôtesses de l'air ou des infirmières. Si vous ne pouvez pas changer les choses pour le moment, soyez patiente.

LES MALADIES - LES INFECTIONS - LES TRAUMATISMES

1. Les maladies générales

De nombreuses perturbations générales, comme le diabète, peuvent retentir aussi bien sur la fertilité masculine que sur la fertilité féminine, entraînant soit des troubles sexuels, soit des troubles dans la production spermatique ou des troubles de l'ovulation (4). En général, ces altérations seraient améliorées par un traitement adéquat de la maladie en cause.

2. Les oreillons

Cette maladie contagieuse se caractérise par l'infection des glandes parotides et se manifeste par des douleurs au niveau des oreilles. Elle peut entraîner une stérilité définitive quand elle survient après la puberté (11). Ainsi, si vous ne l'avez jamais contractée et que vous n'êtes pas vacciné, faites-vous vacciner rapidement. Si vous avez des doutes, demandez à votre médecin de vous faire une analyse de sang. Cette vaccination se fait en une seule injection, et l'immunité qu'elle procure est persistante pour au moins 10 ans.

3. Les infections

Les maladies sexuellement transmissibles (MST) sont responsables d'un grand nombre de cas de stérilité, qui le plus souvent sont irréversibles (4,20). Chez l'homme, elles sont à l'origine de dégâts divers : altération voire obstruction des conduits excréteurs, appauvrissement du sperme, etc. Chez la femme, ces infections sont responsables de l'obstruction d'une ou des deux trompes, etc.

Devant toute douleur récente ou signes anormaux (fièvre, écoulement par la verge, pertes vaginales, envie fréquente d'uriner, brûlures à la miction…), il convient de consulter votre médecin traitant afin de diagnostiquer éventuellement une MST et de débuter un traitement approprié. Si une MST est confirmée, votre partenaire sera également traité car il peut être porteur du germe sans avoir de signes apparents. En parallèle, nous vous recommandons d'utiliser des préservatifs jusqu'à la guérison des deux partenaires, afin d'éviter une recontamination mutuelle.

4. La torsion du testicule

Survenant le plus souvent durant l'adolescence, elle se manifeste par une douleur violente dans les bourses et constitue une urgence chirurgicale. En tournant sur lui-même, le testicule bloque la circulation sanguine. Le délai d'intervention pour garder un testicule fonctionnel (produisant des spermatozoïdes) ne dépasse pas les six heures (20).

LES CONTRACEPTIONS - L'AVORTEMENT

1. La pilule

Il est connu que seulement 20 à 25 % des femmes parviennent à être enceintes dès le premier cycle d'essai ou de tentative, quel que soit le mode de contraception suivi jusque-là. Ce faible rendement de la reproduction humaine a permis l'émergence de théories accusant la pilule, entre autres, d'en être responsable.

Il n'en est rien. En effet, après quelques semaines d'arrêt de prise de la pilule, la grande majorité des femmes retrouvent leurs cycles naturels (4). Certaines sont enceintes dès le premier cycle, d'autres mettront un peu plus de temps. Quand on découvre une stérilité chez une femme qui n'a pas d'enfant et qui était sous pilule, il est fort probable que cette stérilité existait bien avant la prise de la pilule, mais était passée inaperçue.

2. Le stérilet

Même s'il ne modifie pas la fertilité ultérieure, le stérilet n'est jamais conseillé aux femmes jeunes n'ayant pas eu d'enfant car il favorise les infections utérines. Des séquelles telles une obstruction des trompes et parfois même une stérilité définitive peuvent en résulter (4).

3. L'avortement

Il arrive parfois que le curetage, lors d'une interruption de grossesse, en laissant une cicatrice dans l'utérus ou en abîmant les trompes, puisse être à l'origine d'une baisse de la fertilité (4). Par ailleurs, la répétition des IVG vous expose à des complications infectieuses, voire psychologiques, entraînant une stérilité passagère ou définitive.

LES MÉDICAMENTS

Nous savons que certains médicaments peuvent perturber la fertilité de l'homme en agissant soit directement sur le sperme, ou en provoquant des troubles de l'érection et de l'éjaculation (3). C'est le cas de certains médicaments prescrits dans le cadre d'infections diverses, hypertension artérielle, ulcère, épilepsie, excès de cholestérol ou dépression, etc.

La fertilité de la femme peut être également influencée par certains médicaments pouvant bloquer l'ovulation ou provoquer des troubles du cycle menstruel (4). C'est le cas de certains médicaments prescrits dans le cadre des traitements pour l'hypertension artérielle, l'ulcère, les nausées ou les vomissements, la dépression, l'anxiété, etc.

Dans la majorité des cas, ces phénomènes sont réversibles à l'arrêt de la prise du médicament, sauf pour les traitements anticancéreux (médicaments ou irradiations) où il convient de prévoir un recueil du sperme avant la mise en route de ces traitements. Ce sperme sera congelé dans un CECOS (« banque de sperme ») et pourra servir dans le futur à une insémination artificielle, si le couple le désire.

Il nous a semblé inutile de détailler toute la liste de ces médicaments, très spécialisés, qui ne vous serait pas utile. Par contre, bien qu'un médicament soit indispensable, parfois on peut le remplacer par un autre de la même catégorie qui n'a pas d'effet sur le sperme. Si vous êtes sous un traitement particulier, demandez l'avis de votre médecin.

L'ÂGE

La fécondité de la femme baisse progressivement avec l'âge, pour devenir nulle avec la ménopause. En général, on conçoit plus rapidement à 20 ans qu'à 35 ans. Ce n'est pas pour autant qu'il est recommandé d'avoir des enfants trop jeune. Cependant, il est judicieux de prendre ce paramètre en compte avant de vous impatienter lorsque vous n'êtes pas encore enceinte.

Chez l'homme, on peut noter un vieillissement de l'activité des testicules avec l'âge, conduisant à une altération lente de la qualité du sperme et de la concentration des spermatozoïdes [17]. Même si la fertilité peut être maintenue jusqu'à un âge bien avancé, certains facteurs comme le stress ou la maladie peuvent accélérer cette baisse.

POUR CONCLURE

On commence à découvrir que de plus en plus de produits ou de situations ont des effets nocifs sur la reproduction humaine. La fertilité de l'homme apparaît un peu plus fragile que celle de la femme. Les facteurs qui agissent sur la qualité du sperme comme le stress, les produits toxiques, la pollution, la chaleur, etc. ne présentent pas un réel risque pour la fertilité masculine quand l'exposition est modérée et le sperme de bonne qualité. Cependant, il est préférable d'éliminer tout ce qui peut lui nuire et de tenir compte de tous les facteurs qui peuvent l'améliorer, et ceci quelle que soit sa qualité.

D'autre part, sachez qu'il faut près de trois mois pour produire un spermatozoïde mature, prêt à être stocké dans des « réserves », en attendant l'éjaculation. Toute perturbation dans la fabrication des spermatozoïdes mettra autant de temps pour être décelée par un spermogramme (analyse du sperme). De même, il convient d'attendre au moins trois mois avant de retrouver la fertilité habituelle, dans le cadre d'un changement de mode de vie.

Enfin, il est indispensable que les pouvoirs publics soutiennent les projets de recherches visant à identifier les facteurs de risque concernant la fertilité. Ainsi, le sperme pourrait être utilisé comme *« un véritable indicateur de santé publique »* [19], étant donné que c'est l'un des constituants de l'organisme les plus sensibles aux variations de l'environnement.

4

LA MÉTHODE DIÉTÉTIQUE

—

A lors que nous avons abordé dans le chapitre précédent les effets de l'alimentation et de certaines boissons sur la fertilité, nous traiterons, dans cette partie, l'influence de l'alimentation sur le choix du sexe, qui constitue la base de la méthode diététique. Bien qu'elle soit placée à part des méthodes naturelles par choix personnel, la méthode diététique n'en est pas moins naturelle pour autant.

Nous avons entamé cette partie par un rappel des dates et des études les plus importantes déjà réalisées sur la méthode ; nous l'avons fait suivre de quelques conseils utiles à prendre en compte avant de commencer les régimes. Par ailleurs, il nous est apparu souhaitable de faire un aperçu des bases théoriques de cette méthode que nous avons limité à l'essentiel avant de vous exposer une prescription détaillée pour avoir un garçon ou une fille, et de multiples conseils pratiques afin de les suivre le mieux possible.

L'aventure

LES ORIGINES

Alors que la philosophie chinoise du yin-yang se doutait déjà de l'influence de l'alimentation sur le sexe des progénitures (32), la première étude sérieuse du phénomène ne remonte qu'aux années trente de ce siècle. Un biologiste allemand, nommé Curt Herbst (10), a trouvé que le sexe de certains vers marins pouvait être influencé par la composition minérale de leur milieu aquatique : une prédominance de mâles est notée quand la concentration en potassium est élevée, alors qu'une augmentation du magnésium conduit à une prédominance de femelles. Des expériences avec d'autres espèces aquatiques confirmèrent ces premières découvertes.

LE « PÈRE » DE LA MÉTHODE

Mais il faudra encore attendre les années 60 pour étendre les expériences aux mammifères et plus tard à l'espèce humaine. Et c'est grâce aux recherches du Dr Joseph Stolkowski de Paris que ce pas a pu être franchi. En effet, il a mené deux grandes études chez les bovins (27), qui se sont révélées fort encourageantes.

La première étude était plutôt une enquête rétrospective sur 25 653 naissances dans 134 fermes en basse Normandie. Il a pu constater, après l'étude du type d'alimentation des troupeaux, qu'il existait une étroite corrélation entre l'alimentation des vaches et la répartition des sexes :

- une alimentation équilibrée conduisait à la naissance d'autant de femelles que de mâles ;

- un excès de calcium et de magnésium dans l'alimentation favorisait les femelles ;

- un excès de potassium favorisait les mâles.

La 2e étude menée dans 82 fermes consistait à prévoir le sexe des veaux selon la composition minérale de l'alimentation donnée aux vaches. Sans surprise, les résultats sont venus confirmer les constatations de la 1re étude : dans le groupe où l'alimentation était équilibrée, on a obtenu 149 femelles et 148 mâles, alors que dans le groupe où l'alimentation était plutôt riche en magnésium et calcium, on a obtenu 340 femelles pour 280 mâles seulement.

LA CONFIRMATION CHEZ LES HUMAINS

Sans abandonner les expériences chez les animaux, l'étape humaine devenait inéluctable. Les enquêtes menées chez les bovins serviront de modèles aux docteurs J. Lorrain et R. Gagnon de Montréal [17]. A partir de deux études portant sur 150 couples, ces deux médecins canadiens sont parvenus à la conclusion qu'une alimentation riche en sodium et potassium, et/ou pauvre en calcium et magnésium, favorisait la naissance d'un enfant de sexe masculin, alors que l'inverse favorisait la naissance d'un enfant de sexe féminin.

Un peu plus tard, à Paris, en interrogeant plus d'une centaine de femmes n'ayant eu que des enfants du même sexe sur leurs habitudes alimentaires, les docteurs J. Stolkowski et M. Duc retrouvent les mêmes résultats et chiffrent le rapport du potassium + sodium sur calcium + magnésium dans l'alimentation de chaque femme (6,29). Ce rapport est supérieur à « 3,7 » chez la majorité des mères de garçons, et inférieur à « 3,7 » chez la majorité des mères de filles. Au-dessous de « 2,8 », 94 % des femmes n'ont que des filles (dix-sept mères de filles et une de garçons), et au-dessus de « 3,8 », 92 % des femmes n'ont que des garçons (quarante-six mères de garçons et quatre de filles).

Dans toutes ces études rétrospectives et prospectives, le nombre de fausses couches et d'anomalies du développement n'était pas supérieur à celui de la population générale.

Tenant compte des conclusions obtenues jusqu'alors par tous les chercheurs travaillant dans ce domaine, Stolkowski et Lorrain décidèrent de réaliser une vaste expérience, dont les résultats marqueront un tournant important dans l'aventure de la méthode diététique (28). En effet, ils avaient réuni 281 femmes souhaitant choisir le sexe de leur enfant. Après avoir établi deux régimes types, ils les avaient réparties en deux groupes :

— dans le premier ont été rassemblées celles qui voulaient une fille ; elles devaient suivre le « régime fille », qui était riche en calcium et magnésium mais pauvre en sel et potassium ;

— dans le deuxième ont été rassemblées celles qui voulaient un garçon ; elles devaient suivre le « régime garçon», qui était riche en sel et potassium mais pauvre en calcium et magnésium.

Au total, 21 femmes ont été écartées soit par intolérance aux régimes, soit parce qu'elles sont tombées enceintes rapidement. Sur les 260 participantes qui restaient, plus de 80 % (212 femmes) ont obtenu un enfant du sexe désiré. CQFD.

Des expériences semblables se multiplièrent un peu partout ; on peut noter entre autres celles réalisées à Port-Royal, au cours desquelles les auteurs parviennent à satisfaire 45 des 58 participantes (78 %) (19).

Une autre grande étude fut réalisée à l'hôpital Antoine Béclère, dans le service de gynéco-obstétrique du professeur Emile Papiernik (15). Avec plus de deux cents femmes ayant suivi les régimes types, on a obtenu 74 % de réussite pour le régime fille et 70 % pour le régime garçon, quand les régimes étaient bien suivis. Ces résultats, qui sont inférieurs à ceux cités plus haut, sont probablement dus au manque de précision dans le recueil des données qui s'était fait par téléphone.

Enfin, sachez qu'au cours de toutes ces études, on a noté une excellente tolérance de l'organisme pour ces régimes et que les enfants étaient de poids normaux à la naissance. Leur suivi ultérieur a montré qu'ils sont en bonne santé.

Les dispositions à prendre auparavant

Pour conduire toute grossesse à terme, avec le moins de problèmes possibles, il faut être en bonne santé. Afin de vous assurer que c'est votre cas, nous vous conseillons de passer un examen médical, que vous envisagiez ou non de choisir le sexe de votre enfant par la méthode diététique, même si dans la majorité des cas ce bilan se révélera normal.

1. La rubéole

Cette visite médicale offrira l'occasion à votre médecin traitant de contrôler votre immunité vis-à-vis de la rubéole. En effet, cette infection virale, fréquente dans l'enfance, est bénigne à tous les âges sauf quand la femme est enceinte, car elle fait courir au fœtus de nombreux risques dont celui de naître avec des malformations. Or, un vaccin existe et peut permettre à la femme n'ayant jamais contracté la rubéole de s'immuniser avant d'être enceinte. Il y a peu de risques que vous ne soyez pas protégée, comme la grande majorité des femmes en France, qui le sont soit parce qu'elles ont eu la rubéole, soit parce qu'elles ont été vaccinées. Cette vaccination aurait pu avoir lieu :

— durant l'enfance, à la puberté ou à l'adolescence ;
— lors d'une visite médicale avant la prise d'une pilule contraceptive ;
— lors d'un bilan prénuptial ;
— ou lors des suites de couches après un bilan prénatal de votre première grossesse, qui a montré que vous n'étiez pas immunisée.

Néanmoins, si vous n'êtes pas immunisée ou si vous avez des doutes, la vaccination s'impose. Elle ne comporte qu'une seule injection et l'immunité qu'elle procure vous protège pour au moins vingt ans. Sachez également qu'elle ne pourra être réalisée que si vous n'êtes pas enceinte au moment de l'injection (une analyse de sang prescrite par votre médecin pourra le confirmer). Il est également recommandé d'éviter de commencer une grossesse dans les deux mois qui suivent cette vaccination. D'où l'importance d'utiliser un moyen contraceptif sûr, comme la pilule. Ce délai nécessaire peut être mis à profit pour préparer votre régime diététique, voire commencer doucement à changer vos habitudes alimentaires, pour suivre ensuite scrupuleusement le régime.

2. Les grossesses à risque

D'autre part, certaines grossesses, dites « à risque », nécessitent une étroite surveillance médicale. Elles concernent des femmes très jeunes ou âgées, de petite taille, obèses, aux antécédents gynéco-obstétriques nombreux, ou souffrant de certaines maladies comme l'hypertension artérielle, le diabète... Votre médecin traitant, connaissant parfaitement vos antécédents, est bien placé pour vous conseiller si vous avez un risque particulier pour conduire une grossesse.

3. Les contre-indications

Sachez encore que les régimes alimentaires ne peuvent pas être suivis par tout le monde, car certaines maladies les interdisent. C'est ce qu'on appelle dans le jargon médical «les contre-indications». Si vous faites partie des gens qui souffrent des pathologies décrites ci-dessous, il faudra renoncer absolument aux mesures diététiques. Les autres méthodes décrites dans ce livre peuvent alors vous venir en aide.

Contre-indications au régime fille :

— maladies rénales (colique néphrétique, insuffisance rénale, néphropathie…)
— lithiase
— excès de calcium dans le sang (hyper-calcémie)
— nervosité
— maladies cardiaques
— immobilisation prolongée

Contre-indications au régime garçon :

— hypertension artérielle (ou prédisposition à l'hypertension)
— maladies cardiaques
— diabète
— maladie d'Addison

4. L'analyse du sperme

Un dernier conseil pour les couples qui ont plus de trois enfants du même sexe, et notamment des filles ; il serait souhaitable que l'homme fasse un spermogramme, afin de détecter une dominance d'un des deux types de spermatozoïdes, qui pourrait être à l'origine de cette situation. En effet, on a remarqué que les hommes qui ont un sperme avec un nombre de spermatozoïdes inférieur à la normale, ou lorsque le nombre de spermatozoïdes anormaux ou peu mobiles est élevé, ont le plus souvent des filles (16).

L'ARRÊT DE LA CONTRACEPTION

Selon votre immunité vis-à-vis de la rubéole, votre démarche sera la suivante :

— si vous êtes immunisée, vous pouvez arrêter les moyens contraceptifs (pilule, spermicide ou stérilet) immédiatement ;

— si vous n'êtes pas immunisée et que vous êtes sous pilule, continuez votre contraception pendant les deux mois qui suivent votre vaccination.

Le mécanisme d'action des contraceptifs est très différent selon le moyen utilisé : le stérilet empêche l'ovule fécondé de se fixer sur l'utérus, la majorité des pilules bloquent l'ovulation.

Contrairement à quelques idées répandues, la pilule ne rend pas stérile. Souvent, la stérilité était antérieure à la contraception, mais elle restait jusqu'alors ignorée. D'autre part, une bonne surveillance pendant la période qui entoure la mise en place du stérilet vous assure une récupération totale de votre fertilité après son retrait.

L'ÉVALUATION DE VOTRE RÉGIME

Il est très intéressant d'établir une liste de vos habitudes alimentaires afin de connaître les modifications à apporter et d'évaluer la durée du régime à suivre.

Ainsi, dressez un récapitulatif détaillé de ce que vous mangez habituellement et plus d'une fois par semaine. Puis, comparez-le avec la liste des aliments autorisés ou interdits dans chaque régime. Prenez un feutre bleu et un autre rouge. Sur votre liste, entourez de bleu l'aliment qui figure parmi les aliments autorisés au régime garçon et de rouge celui qui figure parmi les aliments autorisés au régime fille. Puis, comptez le nombre d'aliments bleus et le nombre d'aliments rouges. Cela vous donnera une idée approximative sur le type de votre alimentation, s'il vous prédispose à un régime fille ou à un régime garçon.

Dans le cas où votre alimentation correspond plutôt au régime que vous voulez entreprendre, vous avez énormément de chance car vous aurez plus de facilités à le suivre. Mais si votre alimentation s'en éloigne, il va falloir renoncer à la gourmandise et faire quelques sacrifices, en changeant totalement vos habitudes alimentaires. Par contre, si vous mangez à peu près en même quantité dans les deux régimes, c'est un moindre mal car à chaque renoncement vous aurez une compensation.

L'alimentation
dans la détermination du sexe

MINÉRAUX ET VALEURS MINÉRALES
DES ALIMENTS

Les quatre minéraux qui semblent jouer un rôle et influencer la prédétermination du sexe sont : **le sodium** (symbolisé par Na), **le potassium** (K), **le magnésium** (Mg) et **le calcium** (Ca).

Nous ne connaissons pas encore leur mécanisme d'action sur la détermination du sexe. Plusieurs hypothèses ont été évoquées [27] : modification des sécrétions vaginales qui deviennent plus favorables à tel ou tel type de spermatozoïdes, modification de la surface de l'ovule qui devient plus réceptif à un des deux spermatozoïdes, mécanisme immunologique, etc. L'avenir pourra peut-être nous apporter la réponse.

Mais il semble bien que, plus que la quantité absolue de chacun des minéraux, c'est la quantité de certains minéraux par rapport à d'autres qui paraît avoir un effet sur le sexe du bébé [6,29]. Il s'agit du rapport entre la quantité ingérée de sodium à laquelle il faut ajouter celle de potassium, le tout divisé par la quantité de calcium à laquelle il faut ajouter celle de magnésium. En bref, la formule peut s'écrire : Na + K/Ca + Mg.

Ainsi, plus ce rapport est élevé (dans des limites raisonnables), plus la chance d'avoir un garçon est grande.

Pour avoir un rapport élevé, il suffit d'augmenter l'alimentation riche en sodium et en potassium et/ou de diminuer l'alimentation riche en calcium et en magnésium.

A l'inverse, plus le rapport est faible, plus la chance d'avoir une fille est grande.

Pour avoir un rapport faible, il suffit de diminuer l'alimentation riche en sodium et potassium et/ou d'augmenter l'alimentation riche en calcium et magnésium.

Néanmoins, il ne faut pas aller en dessous des besoins quotidiens de l'organisme car cela pourrait créer des carences entraînant des effets plus ou moins graves sur la santé. Mais il ne faut pas non plus augmenter les apports d'une manière inconsidérée. Plus de détails vous seront donnés dans les chapitres suivants.

Par ailleurs, vous trouverez en annexes une table de composition de plusieurs centaines d'aliments, qui nous a servi de référence pour établir les listes des aliments autorisés ou interdits dans chaque régime, et qui vous permettra, si vous le souhaitez, de composer vos plats les plus compliqués tout en respectant le principe de cette méthode.

LA VALEUR CONCEPTIONNELLE D'UN ALIMENT

Comme nous l'avons déjà précisé, la méthode diététique est basée sur un principe simple : augmenter ou diminuer les apports de certains minéraux permet de favoriser la naissance de garçons ou de filles. En effet, une alimentation riche en (Na + K) et pauvre en (Mg + Ca) favorisera la conception de garçons. Alors qu'une alimentation riche en (Mg + Ca) et pauvre en (Na + K) favorisera la conception de filles.

Etant donné que les notions de « riche » et « pauvre » sont plutôt relatives, c'est la valeur du rapport de (Na + K) sur (Mg + Ca) qu'il faut prendre en considération (6, 29). Nous avons défini ce rapport, baptisé R, comme « la valeur conceptionnelle » de l'aliment. La formule pourra s'écrire alors : R = (Na + K) ÷ (Mg + Ca). Un aliment riche en (Na + K) et pauvre en (Mg + Ca) aura un R élevé, alors qu'à l'inverse un aliment riche en (Mg + Ca) et pauvre en (Na + K) aura un R bas.

Mais comme vous l'avez constaté, la valeur conceptionnelle est un rapport relatif, c'est-à-dire qu'elle indique la richesse d'un aliment en (Na + K) par rapport à (Mg + Ca) et l'inverse. Elle ne donne pas la richesse absolue de chaque aliment en tel ou tel minéral. Par exemple, lorsque R = 10, cela veut dire que dans l'aliment en question la quantité de (Na + K) est égale à 10 fois celle de (Mg + Ca). Lorsque R = 0,5, cela veut dire que dans cet aliment la quantité de (Mg + Ca) est égale à 2 fois celle de (Na + K). Mais dans tous les cas, nous n'avons aucune indication sur la quantité de chaque minéral. Par conséquent, la valeur conceptionnelle donne une indication complémentaire sur la composition minérale de chaque aliment.

Afin de mieux comprendre, prenons l'exemple de l'eau de Volvic qui a une valeur conceptionnelle égale à 0,77. D'après cette valeur, on sait que cette eau est un peu plus riche en Mg + Ca, ce qui devrait la placer uniquement dans le régime fille. Mais en regardant la composition minérale, on se rend compte que les quantités de chacun des minéraux sont très faibles. Ainsi, la Volvic n'influencera que très peu la sélection du sexe et sera autorisée aussi bien dans le régime garçon que dans le régime fille.

Prenons maintenant l'exemple de l'eau de Badoit, dont la valeur conceptionnelle est égale à 0,6. Cette valeur fait que cette eau pourrait être autorisée dans le régime fille et interdite dans le régime garçon. Pourtant, en regardant sa composition minérale, on s'aperçoit qu'elle est riche en Na. Or, comme il existe d'autres eaux qui ont une composition minérale meilleure pour le régime fille (Contrex, Hépar…), la Badoit sera interdite aussi bien dans le régime fille que dans le régime garçon.

Autre exemple : le chocolat, bien qu'il ait un R < 3, il sera relativement interdit dans le régime fille, vu sa teneur élevée en potassium (et qu'il n'est pas indispensable) et il sera interdit dans le régime garçon vu sa teneur élevée en Mg + Ca.

Ces quelques exemples démontrent que la valeur conceptionnelle utilisable seule ne suffit pas pour autoriser ou interdire un aliment. Elle vous donne une idée immédiate du couple de minéraux qui prédomine et surtout du degré de cette prédominance.

Il nous a semblé intéressant d'indiquer pour chaque aliment la valeur de ce rapport. Le but recherché étant de faciliter le repérage des aliments et d'établir une liste des aliments autorisés et interdits dans chaque régime. Ainsi, les aliments peuvent être classés en trois catégories selon leur valeur conceptionnelle :

• Les aliments à valeur conceptionnelle féminine sont ceux qui favoriseront la conception de filles (R étant inférieur à 3-4).

• Les aliments à valeur conceptionnelle masculine

sont ceux qui favoriseront la conception de garçons (R étant supérieur à 7-8).

• Les aliments à valeur conceptionnelle plus ou moins neutre sont ceux qui favorisent aussi bien la conception de garçons que celle de filles (R est compris entre 4 et 7).

Les valeurs minérales de chaque aliment permettront à chaque personne qui le souhaite de calculer la valeur conceptionnelle d'une entrée, d'un plat, d'un dessert ou d'un menu. Ainsi, on se rendra compte que le petit salé aux lentilles est un plat garçon, alors qu'un soufflé au fromage est un plat fille.

Dans l'espoir, un jour, de voir apparaître, sur chaque boîte de conserve ou aliment surgelé, la valeur conceptionnelle à côté de la valeur calorique, passons à l'aspect pratique.

POURQUOI NAÎT-IL PLUS DE GARÇONS NATURELLEMENT ?

Si tout est laissé au hasard de la nature, il naît un peu plus de garçons que de filles : 105 garçons pour 100 filles (rapportés à 100 naissances, cela donne respectivement 51,5 % et 48,5 %).

Cette constatation est valable aussi bien :

— dans l'espace : c'est la même chose en France, en Belgique, aux Etats-Unis, au Canada, en Australie, au Japon, en Russie...

— que dans le temps : les mêmes chiffres ont été

retrouvés à la fin du siècle dernier, au milieu de ce siècle, ou plus récemment encore (23)…

Et si on remonte jusqu'à la conception, il semblerait que cette différence soit beaucoup plus accentuée (5,22) : les embryons mâles sont au moins 40 % plus nombreux, à ce stade-ci du développement. Certains ont même trouvé qu'il se conçoit deux fois plus de mâles que de femelles (30). Ainsi, les embryons mâles se fixeraient-ils moins bien que les embryons femelles sur les parois de l'utérus ? Est-ce qu'ils sont moins résistants, ou bien y a-t-il une élimination immunologique sélective ? Beaucoup de thèses ont été avancées, sans élucider le problème pour autant.

Toujours est-il que, chose étonnante, malgré la supériorité en nombre des fausses couches de garçons par rapport aux fausses couches de filles, il naît plus de garçons que de filles, alors qu'on aurait pu s'attendre au contraire. Mais comment est-ce possible ?

On ne peut s'empêcher de rapprocher cette observation de notre mode de vie alimentaire qui est proche d'une alimentation type « garçon ».

En effet, avant l'ère de l'électricité et de la réfrigération, la conservation des aliments, que ce soit la viande, le poisson ou les fruits et légumes, se faisait par le séchage et/ou le salage. Ces deux procédés de conservation ont pour effet respectivement d'augmenter la concentration en potassium et en sodium des aliments.

De nos jours, bien que ces moyens de conservation des aliments soient relégués au second plan, notre consommation en sodium demeure très élevée. Cela vient du fait que sa source principale pour l'organisme est le sel de cuisine, qui est un stimulant majeur de l'appétit. La consommation habituelle chez l'adulte est de l'ordre de 8 à 15 grammes de sel par jour, alors que 3 à 5 grammes suffiraient pour couvrir nos besoins (7).

D'autre part, une récente enquête de l'Insee sur les modifications des habitudes alimentaires des Français confirme notre hypothèse. On mangeait autrefois deux fois plus de pain, deux fois plus de pommes de terre et sept fois plus de légumes secs que maintenant (14). Or, toute cette alimentation est plutôt à valeur conceptionnelle masculine.

Il est probable que d'autres facteurs s'associent à celui de l'alimentation pour expliquer cette prédominance du nombre de fœtus et de nouveau-nés mâles constatée depuis la fin du siècle dernier. Cette prédominance n'est probablement pas propre au 20ᵉ siècle, mais nous ne disposons pas de statistiques antérieures à cette époque pour le confirmer.

Parmi les autres hypothèses qui méritent d'être détaillées, on peut noter :

• Selon le docteur Shettles, un des pionniers des méthodes naturelles, le nombre de spermatozoïdes Y est supérieur au nombre de spermatozoïdes X chez tous les hommes, mais à des degrés différents (24, 25). Par conséquent, l'ovule a toujours plus de chances d'être fécondé par un spermatozoïde Y, et donc de donner un garçon plutôt qu'une fille. L'exemple extrême étant ces rares cas d'hommes qui ont presque exclusivement des spermatozoïdes Y et qui n'engendrent pratiquement que des garçons sur plusieurs générations. Cet excès de spermatozoïdes Y est destiné à compenser la plus grande fragilité et la plus grande mortalité des hommes à toutes les étapes de la vie.

• Certains tests réalisés juste après un rapport sexuel montrent que les spermatozoïdes Y sont plus nombreux que les spermatozoïdes X à traverser le col pour se retrouver dans l'utérus, quels que soient la période du cycle et le temps écoulé entre le rapport et le test (3). D'où peut-être le nombre plus important de conceptions masculines.

• Dans une très récente étude, des chercheurs américains sont convaincus que presque toutes les grossesses peuvent être attribuées à des rapports sexuels ayant eu lieu dans la période s'étendant de « cinq jours avant l'ovulation jusqu'au jour de celle-ci inclus » (34). Toujours selon ces chercheurs, la période où on a le plus de chance de concevoir est celle s'étalant de deux jours avant l'ovulation jusqu'au jour de l'ovulation. Or, d'après les méthodes naturelles, cet intervalle correspond à une période où la probabilité d'avoir un garçon est plus importante. D'où la prédominance des conceptions masculines.

• Selon une autre étude récente, il est suggéré que l'âge maternel pourrait exercer une influence sur le développement embryonnaire et influencer la répartition entre filles et garçons à la naissance. En effet, les chercheurs ont retrouvé une majorité de filles (72 %) chez les femmes âgées de plus de 35 ans, et une majorité de garçons (63 %) chez celles de moins de 35 ans. Cette analyse fut réalisée chez des femmes ayant eu recours à la fécondation in vitro (31). Par ailleurs, il est connu d'une part que plus la femme est jeune, plus elle conçoit facilement, et d'autre part que la majorité des naissances ont lieu avant 35 ans (9). Ainsi, si les résultats de cette étude se révélaient identiques pour la fécondation naturelle (ce qui n'est pas encore démontré), cette théorie pourrait nous expliquer la supériorité du nombre de naissances masculines.

La méthode diététique pour avoir un garçon

LES SELS

Il est **vivement recommandé** de saler la cuisine dans des limites raisonnables.

L'EAU

Celle du robinet est à proscrire, sa teneur en minéraux étant variable d'une région à une autre.

Sont vivement recommandées les eaux minérales St-Yorre et Vichy-Célestins. Cependant, si vous n'aimez pas l'eau gazeuse, la Volvic est **autorisée**.

Sont interdites celles qui sont calciques : Arvie, Badoit, Contrex, Cristalline, Evian, Hépar, Perrier, Qué-zac, Ste-Marguerite, Valvert, Vittel grande source, Vit-telliose, Wattwiller.

LE LAIT

Interdit sous toutes ses formes : liquide ou en poudre, entier ou écrémé, frais ou longue conservation.

Attention aux sauces et crèmes qui contiennent du lait, elles sont toutes interdites.

LES PRODUITS LAITIERS FRAIS

Yaourts, fromages blancs, crème fraîche, etc. sont **interdits**.

LES FROMAGES

Tous **interdits**.

LA VIANDE

Toutes les viandes sont autorisées et à volonté : bœuf, veau, mouton, agneau, porc.

Vivement conseillées : les viandes séchées, fumées, salées, en saumure ou en conserve.

La même chose pour le gibier et les volailles. Les

abats sont autorisés également, notamment la cervelle et le foie.

LA CHARCUTERIE

Vivement conseillée.

Notamment le bacon fumé, le boudin noir, le corned-beef américain, le jambon cru fumé, les saucisses, les saucissons secs, la viande séchée…

LES POISSONS

Tous les poissons sont autorisés et à volonté, quel que soit leur mode de conservation.

Sont vivement recommandés ceux qui sont séchés, salés, fumés, panés, marinés ou en conserves.

Notamment : anguille, flétan, haddock, hareng, maquereau, morue, saumon, thon, truite.

Le véritable caviar russe est autorisé. Ainsi que les œufs de lump, la crème de poisson et les bâtonnets de surimi.

LES MOLLUSQUES, CRUSTACÉS

Interdits.

Sauf le homard bouilli, le crabe et les crevettes roses (une fois par semaine).

LES ŒUFS

Le jaune est **interdit** alors que le blanc est **autorisé**.

Attention aux sauces et crèmes qui contiennent du jaune d'œuf; elles sont interdites.

LES LÉGUMES FRAIS

Tous les légumes sont autorisés à l'exception : bette, cerfeuil, chou vert, ciboulette, civette, cresson, épinard, haricot vert, oseille, pissenlit, poireau, rhubarbe.

Sont vivement recommandés : aubergine, cèpe, champignon, choucroute, citrouille, mâche, pomme de terre (purée sans lait, frite, chips…), tomate, truffe.

Sont autorisés en petite quantité : artichaut, asperge, brocoli, chicorée, chou (de Chine, frisé, navet, rouge), concombre, courgette, laitue, maïs, navet, oignon, persil, petits pois, raifort, scarole, pousses de soja.

LES GRAINES ET LÉGUMES SECS

Tous sont autorisés sauf les pois chiches, graines de sésame et de tournesol.

Sont recommandés : les haricots blancs, pois cassés et surtout les lentilles.

Les fèves et les graines de soja sont autorisées **en petite quantité**.

LES FRUITS FRAIS

Tous les fruits et jus de fruits sont autorisés à l'exception : figue de Barbarie, framboise, gombo, mûre.

Sont recommandés : abricot, ananas, avocat, banane, coing, cerise, goyave, kaki, litchi, melon, pastèque, pêche, pomme, poire, prune, nèfle et surtout grenade.

LES FRUITS SECS

Tous autorisés sauf : amande, cacahuète non salée, noisette, noix, noix de pécan, pistache.

Sont recommandés : abricot, banane, cacahuète grillée salée, datte, figue, noix de coco, marron, pêche, pruneau, raisin.

LES CÉRÉALES ET LEURS DÉRIVÉS

Sont interdits : les semoules, les pâtes, le riz, les flocons d'avoine, les pop-corn salés ou sucrés.

Les farines complète et blanche **sont autorisées en quantité modérée**. La farine de sarrasin entière est permise.

Le pain et les biscottes **sont autorisés**. Les pains blancs (baguette, pain de campagne…) et le pain de seigle plutôt que le pain complet.

Les pâtes brisées, feuilletées, sablées ou à pizza, même celles du commerce, sont autorisées.

Les céréales du petit déjeuner sont autorisées. Les corn flakes et les cracky nuts type Kellog's **sont vivement conseillés**.

LES CORPS GRAS

Le beurre, la margarine et les huiles végétales sont **autorisés**.

LES PÂTISSERIES, LES GLACES

Les pâtisseries et glaces au lait ou aux jaunes d'œuf **sont interdites** (crème anglaise, crème chantilly, crème pâtissière, crêpes, gaufres, crèmes glacées…).

Sont autorisés : biscuits, brioche, cake, croissant, pain au chocolat, pain aux raisins, madeleine, palmier, tartes aux fruits.

Les sorbets sont autorisés.

LES PRODUITS SUCRÉS

Le miel de fleurs et les confitures sont **autorisés**.

Le sucre également, de préférence le sucre blanc.

Le cacao et le chocolat sont **interdits**.

BOISSONS

Sont autorisés : café, nescafé, cola, jus de fruits (fruits autorisés), thé infusé.

La plupart des alcools **sont autorisés en quantité modérée** (bière, champagne, gin, pastis, porto, rhum, vin, vodka, whisky… et particulièrement le cidre).

DIVERS

Sont autorisés : les bouillons et potages du commerce, la mayonnaise, la moutarde, la levure du boulanger, les herbes et épices, toutes les conserves, le vinaigre de cidre ou de vin.

La levure alimentaire est **interdite**.

Sont recommandés : cornichons, ketchup, olives.

PRÉPARATIONS TYPES

Cassoulet, champignons à la grecque, chili con carne, choucroute, petit salé aux lentilles, ratatouille...

La méthode diététique
pour avoir une fille

LES SELS

Tous les sels **sont interdits** : le sel de table et les sels d'ail, de céleri, d'oignon. Le sont également les sels de remplacement.

L'EAU

Celle du robinet est à proscrire, sa teneur en minéraux est variable d'une région à une autre.

Sont vivement recommandées les eaux Contrex et Hépar. A un moindre degré : Cristalline, Vittel grande source et Wattwiller.

Sont autorisées : Evian, Perrier, Valvert, Vittelliose, Volvic.

Sont interdites : Arvie, Badoit, Quézac, St-Yorre, Ste-Marguerite, Vichy-Célestins.

LE LAIT

Vivement recommandé sous toutes ses formes : liquide ou en poudre, entier ou écrémé, frais ou longue conservation. Cependant, évitez le lait concentré.

LES PRODUITS LAITIERS FRAIS

Yaourts, fromages blancs, crème fraîche, etc. sont **vivement recommandés**.

LES FROMAGES

La plupart des fromages sont salés, et donc **interdits**. Ne sont autorisés que les fromages non salés.

LA VIANDE

Toutes les viandes sont autorisées à concurrence de 120 g par jour maximum : bœuf, veau, mouton, agneau, porc.

La même chose pour le gibier et les volailles. Les abats sont autorisés également, notamment le cœur.

Exclure les viandes séchées, fumées, salées, en saumure ou en conserve.

LA CHARCUTERIE

Totalement **interdite** (lard, bacon, jambon, saucisses…).

LES POISSONS

Tous les poissons frais ou surgelés sont autorisés.

Sont interdits les poissons séchés, salés, fumés, panés, marinés ou en conserve.

Cependant, ne dépassez pas 120 g par jour et faites toujours cuire le poisson dans un court-bouillon fait maison, ceux du commerce sont salés (l'eau de cuisson doit être jetée).

Le caviar, les œufs de lump, la crème de poisson et les bâtonnets de surimi sont interdits.

LES MOLLUSQUES, CRUSTACÉS

Tous les mollusques et crustacés crus sont **interdits**. Ils sont autorisés s'ils sont cuits dans un court-bouillon fait maison. Ne dépassez pas 120 g par repas, une fois par semaine.

Les escargots sont autorisés (attention, ceux du commerce sont salés).

LES ŒUFS

Les œufs sont **autorisés**, notamment le jaune d'œuf.

LES LÉGUMES FRAIS

Sont autorisés : bette, brocoli, cerfeuil, chou (blanc, navet et surtout le chou vert), ciboulette, civette, cresson, épinard, haricot vert, oseille, pissenlit, poireau, rhubarbe.

Sont autorisés en petite quantité : ail, artichaut, asperge, betterave, carotte, céleri, chou (de Bruxelles, de Chine, frisé, navet, rouge), chicorée, concombre, courgette, endive, fenouil, laitue, maïs, navet, oignon, oseille, persil, petits pois, poivron vert, radis, raifort, scarole, pousses de soja, tomate.

Sont interdits : aubergine, cèpe, champignon, choucroute, chou-fleur, citrouille, mâche, pomme de terre (purée, frite, chips…), truffes.

LES GRAINES ET LÉGUMES SECS

Tous sont **interdits** : fève, haricot blanc, lentille, graines de maïs (pop-corn), pois cassés, pois secs, graines de soja…

Les graines de sésame et de tournesol sont **autorisées**.

LES FRUITS FRAIS

Sont autorisés : cassis, citron, figue, figue de Barbarie, fraise, framboise, fruit de la passion, gombo, groseille, kiwi, mandarine, mangue, mûre, myrtille, orange, pamplemousse, poire, pomme, raisin.

Sont autorisés en petite quantité : banane, cerise, melon, prune.

Sont interdits : abricot, ananas, avocat, coing, goyave, grenade, kaki, litchi, nèfle, pastèque, pêche.

LES FRUITS SECS

Sont autorisés : amande, cacahuète non salée, noisette, noix, noix de cajou non salée, noix de pécan.

Sont interdits : abricot, banane, cacahuète grillée salée, datte, figue, noix de coco, marron, pêche, pruneau, raisin.

LES CÉRÉALES ET LEURS DÉRIVÉS

Sont autorisés : la semoule, les pâtes, le riz (surtout naturel), les flocons d'avoine, les pop-corn sucrés.

La farine, la maïzena sont permises.

Le pain, les biscottes et les biscuits sans sel sont autorisés. De préférence le pain complet ou le pain de mie sans sel. Le pain azyme est autorisé.

Les céréales du petit déjeuner **sont interdites** (corn flakes…) **sauf** les « Oats » type Kellog's.

Les pâtes brisées, sablées, feuilletées ou à pizza du commerce sont interdites (contiennent du beurre salé, sel…).

LES CORPS GRAS

Le beurre et la margarine sans sel, ainsi que les huiles végétales sont **autorisés**.

LES PÂTISSERIES, LES GLACES

Les pâtisseries et tartes du commerce sont **interdites** (leur pâte est salée).

Cependant peuvent être **autorisés en quantité modérée** : beignets à la confiture, brownie, cheesecake, éclair, macaron, mille-feuille, muffin, pain d'épice.

Toutes celles qui sont faites maison sont **autorisées** à condition de respecter les interdictions (sans sel, beurre non salé…).

La crème anglaise et la crème chantilly sont autorisées. La crème pâtissière ne contenant pas de beurre salé est autorisée.

Les glaces, les sorbets et les crèmes glacées du commerce sont autorisés en petites quantités.

LES PRODUITS SUCRÉS

Le miel de fleurs et les confitures sont **autorisés**. Le sucre est autorisé mais de préférence le sucre roux.

Le cacao est autorisé en petite quantité alors que le chocolat, la réglisse et les bonbons sont **interdits**.

BOISSONS

Sont autorisés : cola, jus de fruits (fruits autorisés), thé infusé et la plupart des alcools en quantité modérée (bière, champagne, gin, pastis, porto, rhum, vodka, whisky…).

Sont interdits : café, nescafé, cidre, vin rouge.

DIVERS

Sont autorisés : herbes et épices, levure du boulanger, moutarde sans sel, vinaigre.

Sont interdits : toutes les marinades et conserves sauf celles des fruits autorisés (à condition de jeter le jus), les bouillons et potages du commerce, les plats cuisinés du commerce, cornichons, olives, mayonnaise, moutarde, vinaigrette, sauces (tomate, soja, nuoc-mâm…), ketchup, la levure alimentaire.

Il existe beaucoup de produits pauvres en sodium :

Bornibus, Charasse… qui restent parfois riches en potassium, donc à éviter.

Attention aux médicaments qui contiennent du sodium : les effervescents (vitamine C, antalgiques…), demandez-les en préparation non effervescente.

Les édulcorants (Sucrum, Sucrédulcor…) sont à éviter. De même pour les dentifrices salés.

PRÉPARATIONS TYPES

Porridge, milk-shake, osso-buco, soufflé au fromage, taboulé…

Quelques remarques
pour bien suivre les régimes

GÉNÉRALITÉS

Le pourcentage de réussite de la méthode diététique peut atteindre 80 % selon la plupart des études qui ont été réalisées (6,17,19,27,28,29). Le taux d'échec est le même pour les filles et pour les garçons.

Cependant, ces résultats ne doivent pas faire oublier que les règles diététiques sont légèrement contraignantes et qu'il peut sembler parfois difficile de les suivre, notamment lors des dîners en ville, des sorties au restaurant, à la cantine, ou bien quand la durée du régime se prolonge. Même si le taux d'abandon peut être élevé, il est sûr que plus votre motivation sera grande et plus il vous sera facile de les suivre. Surtout, gardez toujours en tête le but recherché, la fille ou le garçon que vous désirez et n'oubliez pas ces deux choses qui relativiseront l'importance apparente de l'effort à fournir : d'une part cette diète ne durera peut-être que quelques semaines, et d'autre part on ne fait pas un enfant tous les ans.

Afin de faciliter le suivi rigoureux des régimes et d'éliminer toute tentation, il serait préférable pour des raisons psychologiques évidentes, et par soutien conjugal, que les messieurs accompagnent les dames en suivant le régime également (après avoir éliminé les mêmes contre-indications et sans aller jusqu'à prendre des suppléments en minéraux).

LA DURÉE DU RÉGIME

Le régime doit être commencé environ un mois à un mois et demi avant la date retenue pour la conception, ou au plus tard dès le début du cycle retenu.

Bien entendu, si vos habitudes alimentaires s'avèrent de nature à favoriser plutôt l'un des deux sexes, et que vous désirez un enfant du sexe opposé, votre organisme aura probablement besoin d'un mois supplémentaire de régime pour obtenir les modifications nécessaires afin que votre corps soit totalement préparé.

Pendant cette période, le meilleur moyen pour éviter d'être enceinte avant que votre organisme ne soit prêt reste le préservatif.

Par ailleurs, si au bout de six mois d'essais vous n'êtes toujours pas enceinte, il est préférable d'arrêter momentanément le régime, afin que votre organisme se repose, et de reprendre après une petite pause de quelques semaines.

D'autre part, si la diète est mal supportée, il sera prudent de l'interrompre et de consulter votre médecin traitant afin qu'il fasse pratiquer des explorations complémentaires pour rechercher la raison de cette intolérance.

Une fois que vous êtes enceinte, il est bien sûr inutile de poursuivre le régime, puisque le sexe de votre enfant est déjà établi dès l'instant où le spermatozoïde a fécondé l'ovule, et il ne pourra plus être modifié par la suite.

LE MODE DE CONSERVATION DES ALIMENTS

Comme nous l'avons déjà noté, le séchage et le salage augmentent la teneur des aliments en potassium et en sodium. Ainsi, ces produits seront vivement conseillés dans un régime « garçon ».

Par contre, la congélation des aliments modifie peu la répartition des minéraux, les produits surgelés ayant pratiquement la même composition que les produits frais.

Quant aux conserves du commerce, elles contiennent en général des produits déjà cuits à l'eau (légumes, viandes, fruits...). Or les aliments perdent une partie de leurs minéraux dans l'eau de cuisson et sont moins riches que les produits frais. Ainsi, privilégiez surtout, dans le régime garçon, les produits frais ou surgelés plutôt que les conserves.

Plus particulièrement, nous conseillons aux femmes suivant le régime « fille » d'éviter les conserves du commerce, car elles sont salées. En effet, bien que le sel de cuisine soit la principale source de sodium, d'autres sels de sodium peuvent être présents dans les aliments en conserve, comme les conservateurs et les antioxydants.

De même, nous vous rappelons qu'il est préférable d'écarter les boîtes de conserve de l'alimentation masculine, du fait de la présence de substances ayant le même effet que les hormones féminines et pouvant diminuer la fertilité des hommes (4). Choisissez plutôt les aliments conditionnés dans des bocaux en verre.

LA CUISSON DES ALIMENTS

Il est bien connu que le mode de cuisson a une influence sur la répartition des minéraux dans les aliments. En effet, les cuissons au barbecue, au four, ou à la poêle conservent mieux les minéraux. Alors que la cuisson dans l'eau (court-bouillon ou mijoté) fait perdre aux aliments une partie de leurs minéraux qui passent dans l'eau ou la sauce de cuisson.

En conséquence, dans le régime garçon, où la viande, le poisson et la plupart des fruits et légumes sont autorisés pour leur richesse en sodium et en potassium (et leur pauvreté en calcium), le mode de cuisson privilégié reste le barbecue, le four et la poêle. Les autres modes de cuisson seront préconisés à condition d'utiliser l'eau ou la sauce de cuisson (pot-au-feu, potage, etc.).

Il en est tout autrement dans le régime « fille » car la plupart des aliments sont riches en potassium, ce qui conduit à une restriction alimentaire qualitative et quantitative. Le mode de cuisson le plus adapté au principe de ce régime sera la cuisson à l'eau à condition de jeter l'eau de cuisson. Il est évident que les autres modes de cuisson peuvent être suivis de temps à autre, mais ne constitueront pas votre façon privilégiée de cuire les aliments.

RELEVER LE GOÛT DES PLATS

Etant donné que le sel est un stimulant de l'appétit, sa suppression peut rendre trop fade le régime «fille». Cependant, il est relativement facile de compenser par les herbes et les épices qui sont autorisées dans les deux régimes. Elles ne sont pas destinées à masquer le goût d'un aliment, mais plutôt à relever la saveur d'un plat et leur odeur est une invitation aux voyages culinaires.

Parmi les **herbes**, vous pouvez utiliser : basilic, cerfeuil, ciboulette, coriandre, estragon, laurier, menthe, marjolaine, persil, romarin, sauge, thym…

Parmi les **épices**, vous pouvez utiliser : cumin, curry, genièvre, gingembre, girofle, piments, poivre, safran…

Et bon appétit !

LES RÉGIMES ET LA CONSOMMATION

Le fait de saler votre cuisine au maximum, dans le régime garçon, ne doit pas vous conduire à l'écœurement et les plats doivent conserver toute leur saveur.

L'interdiction du sel dans le régime fille sera compensée par les herbes et les épices afin de stimuler l'appétit. Une alimentation sans sel de cuisine ne signifie pas sans sodium. Bien que le sel soit sa source principale, le sodium est présent dans la plupart des aliments.

Afin d'éviter les dérapages alimentaires, nous vous recommandons de consommer une nourriture variée, dans la limite des aliments autorisés, ce qui vous apportera tout ce dont votre organisme a besoin et en quantité suffisante.

Les aliments vivement conseillés devront être consommés tous les jours, voire plusieurs fois par jour, en quantité suffisante. Ceux qui sont autorisés peuvent être consommés tous les jours, en quantité libre. Les aliments interdits doivent autant que possible être évités. Vous pouvez les consommer à condition que cela ne soit pas trop fréquent (un maximum de deux fois par semaine) et en quantité réduite (inférieure à celle que vous preniez habituellement).

Si vous n'aimez pas certains aliments qui sont vivement conseillés, il faudra compenser avec d'autres aliments de même valeur conceptionnelle et minérale. Par exemple, le lait peut être remplacé par les produits laitiers fermentés comme le fromage blanc, les yaourts ou les fromages non salés… Les charcuteries peuvent être compensées par la viande séchée, les poissons fumés, les champignons, la choucroute, les raisins secs, la grenade…

En ce qui concerne les quantités, nous les avons mentionnées antérieurement dans le chapitre concernant les bases des régimes quand cela s'avérait important.

Selon votre temps libre, vous pouvez calculer vos apports quotidiens, comme vous pouvez ignorer ce calcul et vous limiter aux listes de base. Les régimes ne doivent pas être ressentis de façon trop contraignante ; vivez-les le plus normalement possible en respectant les prescriptions qui vous concernent.

En général, les boissons alcoolisées, excepté le vin, le cidre et la bière, apportent des quantités très faibles en minéraux. Elles peuvent être consommées avec modération dans le cadre de ces deux régimes.

LES RÉGIMES ET LA PRISE DE POIDS

En lisant les listes des aliments autorisés et interdits dans chaque régime, vous remarquerez que le régime pour avoir un garçon est beaucoup moins restrictif tant en qualité (plus de choix) qu'en quantité (pas de limitation, voire certains aliments sont permis à volonté). Ainsi, il peut vous paraître plus facile à suivre. Mais faites attention à la quantité des aliments consommés car ils sont très caloriques et vous risquez alors une prise de poids.

Afin de vous donner une idée approximative d'une alimentation quotidienne équilibrée, dont la valeur conceptionnelle globale serait non neutre, vous trouverez dans le tableau ci-dessous les apports caloriques pour une femme active selon qu'elle suit un régime « garçon » ou un régime « fille » :

Les moyennes prises comme bases de calcul sont les suivantes :

— viandes ou poisson   230 kcal/100 g
— charcuterie   380 kcal/100 g
— légumes frais   25 kcal/100 g
— légumes secs   310 kcal/100 g
— fruits frais   50 kcal/100 g

	Régime Garçon (kcal)	Régime Fille (kcal)
• Céréale du commerce 50 g (sans lait) + thé	200	–
• Porridge (sans compter la valeur du lait...) 50 g	–	200
• Lait, produits laitiers (écrémé, 0 %...) 750 g	–	300
• Viande ou poisson 120 g	280	280
• Charcuterie 40 g	150	–
• Pommes de terre ou légumes secs 100 g	310	–
• Riz ou pâtes 60 g	–	210
• Légumes autorisés (crudités, légumes frais) 800 g	200	200
• Pain 150 g	360	360
• Fruits frais et jus autorisés 300 g	–	150
• Fruits frais et jus autorisés 400 g	200	–
• Beurre, margarine 20 g	150	150
• Huiles végétales 30 g	280	280
• Sucres et produits sucrés 30 g	160	160
• Eaux 1,5 l	0	0
Total	2 290	2 290

Ce tableau est strictement indicatif pour de multiples raisons :

1° La valeur calorique globale est celle d'une femme active. Pour une femme très active, 2 600 kcal seront nécessaires, alors que 2 000 kcal suffiront à une femme sédentaire. Donc les quantités seront à adapter en fonction de l'activité physique.

2° Ce calcul ne tient pas compte de la consommation de jus de fruits, de fruits secs, d'œufs et d'alcool.

3° Les valeurs caloriques sont très variables à l'intérieur de chaque catégorie et par conséquent la quantité autorisée le sera également : dans la charcuterie, les 150 kcal donnés en exemple correspondent à 70 g de jambon cuit, et seulement 23 g de bacon fumé cuit. C'est également vrai pour les viandes, poissons, fruits et légumes.

4° Ce tableau ne tient pas compte également du goût de chacun et des variations de tous les jours. On considère que vous allez manger tout ce qui est autorisé dans une même journée et tous les jours la même chose, ce qui paraît sûrement improbable. En effet, certaines d'entre vous ne mangeront pas de riz certains jours et la part en légumes sera donc plus importante. D'autres jours, les légumes frais seront peut-être absents au profit des légumes secs. Ceci est valable aussi pour la catégorie viande, poisson ou charcuterie. Par contre, si vous ne voulez pas de charcuterie certains jours, il faudra augmenter les quantités des autres aliments.

5° Dans le cas où l'homme suit le régime (facultatif) par solidarité conjugale, il faut savoir que ses besoins caloriques quotidiens sont plus importants que ceux de la femme : de 2 600 kcal pour un homme sédentaire à 3 500 kcal pour un homme très actif.

Vous trouverez ci-dessous quelques règles élémentaires qui vous garantiront un équilibre alimentaire satisfaisant.

Dans les deux régimes :

Nous vous recommandons de faire un peu de sport ou de la gymnastique. Un excès de calories est facilement éliminé si vous pratiquez une activité physique régulière. Pour guetter toute prise de poids, pesez-vous une fois par semaine.

Par ailleurs, sachez que :

• **Les jus de fruits et les sirops** contiennent du sucre (le sucre naturellement présent, plus celui rajouté s'il s'agit de produits de commerce), donc ils sont très riches en calories.

• **Les viandes** ont en moyenne une teneur en minéraux à peu près équivalente. Cependant leur valeur calorique est différente d'une espèce à une autre et même pour une même espèce d'une pièce à une autre (voir la « Table de composition des aliments »). Attention à la viande dite « grasse » qui comporte plus de 30 g de lipides et apporte en moyenne plus de 250 kcal pour 100 g de viande cuite (porc, oie, côtelette d'agneau, gigot, steak haché de bœuf à 15 % de matières grasses…). Les viandes « moyennes » comportent 10 g de lipides et apportent en moyenne 200 kcal pour 100 g de viande cuite (entrecôte de bœuf, langue, canard…). Les viandes « maigres » comportent moins de 7 g de lipides et apportent en moyenne moins de 150 kcal pour 100 g de viande cuite (rumsteck, steak haché à 5 % de matières grasses, jarret et noix de veau, le gibier, les abats…).

• Il en est de même pour **les poissons**, qui peuvent être classés en deux catégories :

— les poissons dits « gras », apportant en moyenne 220 kcal pour 100 g, notamment l'anguille, le hareng, le maquereau, le saumon ou le thon ;

— les poissons dits « maigres », apportant en moyenne 90 kcal pour 100 g, notamment le brochet, le cabillaud, le colin, l'éperlan, le flétan, le haddock, le loup, le merlu, la perche, la sole, la truite, ou le turbo.

• **Les céréales, les fruits et légumes secs** sont très caloriques.

• **Les fruits et légumes frais** sont faiblement caloriques. Cependant, l'avocat et les marrons font exception.

• Bien que le besoin en **corps gras** (beurre, huiles végétales) soit faible (– 50 g par jour), il est nécessaire d'en consommer malgré leur grande valeur calorique, car ils contiennent des nutriments essentiels à l'organisme.

• Le beurre, les produits laitiers entiers, les viandes et poissons gras, le jaune d'œuf et l'avocat sont très riches en **graisses**. Si votre dernière analyse de sang montre un taux de cholestérol élevé, choisissez de préférence la margarine et l'huile d'olive, les produits laitiers écrémés, les viandes et les poissons maigres. Consommez avec modération les œufs, les charcuteries (sauf le jambon cuit), les abats et l'avocat. Il convient de noter que les fruits et légumes sont pauvres en graisses.

Dans le régime « garçon » :

Le jour où vous mangez beaucoup de charcuterie (par exemple une choucroute ou du blanc d'œuf au bacon), choisissez de préférence des légumes en accompagnement (crudités et légumes frais). Les viandes grasses, poissons gras et légumes secs sont à éviter au cours de cette journée pour que vos menus ne soient pas hypercaloriques.

Ainsi, nous vous conseillons de **jouer avec les équilibres caloriques** pour constituer vos menus : accompagnez les légumes secs (caloriques) avec des viandes ou des poissons maigres (peu caloriques) et les légumes frais (peu caloriques) avec des viandes et poissons gras (caloriques).

Par ailleurs, sachez que la charcuterie et le pain sont très caloriques.

Dans le régime « fille » :

Vous rencontrerez beaucoup moins de problème de prise de poids avec ce régime puisque la charcuterie et les légumes secs sont interdits, et que la viande et le poisson sont autorisés en quantité limitée à 120 g. Il y a donc peu de risque d'apport calorique excessif.

De plus gardez en mémoire les indications suivantes :

• **Les fromages non salés** sont aussi caloriques que ceux qui sont salés.

• **Le lait et les produits laitiers** sont plus ou moins caloriques selon leur teneur en lipides. Or le fait de supprimer les lipides ne modifie pas la teneur en minéraux, donc l'aliment garde à peu près la même valeur conceptionnelle, par contre sa valeur calorique diminuera sensiblement. Etant donné que la consommation du lait, des produits laitiers frais ou des fromages non salés est vivement recommandée en quantité importante, nous vous conseillons d'opter pour les produits allégés : le lait écrémé (ou demi-écrémé) et les produits laitiers à 0 % de matières grasses. Cette économie en calories vous permettra d'augmenter votre ration quotidienne de lait ou d'autres aliments.

• Dans une étude récente, le centre de recherche Nestlé de Lausanne vient de montrer que **le calcium des eaux minérales**, comme la Contrex, est aussi bien absorbé que celui du lait (12). Alors, que choisir entre le lait ou les eaux calciques ? En réalité, il n'y a pas à choisir, les deux peuvent être pris dans un régime fille, chacun ayant ses points forts. L'intérêt du lait reste sa grande valeur nutritive en général, et sa plus grande concentration en calcium en particulier. L'intérêt des eaux calciques réside dans leur grande valeur conceptionnelle et leur valeur calorique nulle.

L'idéal serait d'assurer votre besoin en eau par de l'eau minérale calcique (ne plus utiliser l'eau du robinet dont vous ignorez la valeur conceptionnelle) et de compléter votre prise quotidienne par un minimum d'un grand verre de lait. Si vous n'aimez pas le lait, compensez alors avec de l'eau minérale. Reste à vous signaler que sur le plan de la richesse en calcium, 1000 ml de Contrex est l'équivalent de 400 ml de lait.

Quelques conseils pratiques

Plus qu'un régime traditionnel, la méthode diététique est une orientation de votre alimentation vers des produits qui ont une valeur conceptionnelle non neutre. Il s'agit d'augmenter les produits de consommation dont la valeur conceptionnelle correspond au sexe désiré, et de supprimer ceux dont la valeur correspond au sexe opposé.

Dans la vie courante, vous pourrez être confrontée à des situations diverses.

MANGER CHEZ SOI

1. Préparer vos repas

S'il s'agit de préparer un plat simple, il suffit de vérifier que les aliments sont autorisés dans la liste du régime correspondant. Par exemple, une viande grillée accompagnée de pommes frites bien salées est autorisée dans un régime garçon, alors que, dans un régime fille, on ne dépassera pas les 120 g de viande et on l'accompagnera plutôt de haricots verts, le tout sans sel.

S'il s'agit d'un plat composé de plusieurs ingrédients, il faudra comparer la liste des ingrédients avec la liste des aliments autorisés dans votre régime. S'il y a un ingrédient (ou plus) qui ne convient pas, vous pourrez toujours le supprimer, diminuer la quantité requise ou le remplacer par un autre ingrédient autorisé. Au cas où il n'est pas possible de le faire ou s'il existe plusieurs ingrédients à remplacer, il vaut mieux abandonner votre recette, car elle ne convient pas à votre régime.

Par ailleurs, rien ne vous empêche de créer de nouveaux plats. Donnez libre cours à votre imagination, la méthode diététique ne doit pas être ressentie comme une contrainte, mais plutôt comme une continuité de votre vie gastronomique, voire une étape de découverte agréable.

Pour les perfectionnistes, elles ont la possibilité, en s'aidant de la table de composition des aliments, de calculer les apports exacts en minéraux et la valeur conceptionnelle de leurs plats préférés. Il suffit alors de vérifier que les chiffres sont dans les limites autorisées par leur régime type.

2. Acheter tout prêt

Dans le régime garçon, acheter des plats déjà cuisinés ne pose pas beaucoup de problèmes du moment que l'on évite les aliments interdits. Cependant, il faut bien regarder les ingrédients qui composent le plat et se méfier des plats dont la composition n'est pas détaillée.

Dans le régime fille, le problème majeur vient du fait que la plupart des aliments achetés tout prêts sont salés (tartes, pâtisseries, plats congelés). D'autres comme les conserves et les sauces contiennent parfois du sodium sous forme de conservateurs. Par conséquent, il est préférable d'éviter les plats tout prêts.

MANGER À L'EXTÉRIEUR

Vous deviendrez naturellement plus vulnérable si vous prenez régulièrement vos repas à l'extérieur car vous allez souvent être tentée de faire des écarts à votre régime, d'autant plus que vous ne connaîtrez pas la composition exacte de vos plats. Il conviendrait donc de limiter, autant que possible, le nombre de vos repas à l'extérieur. Et surtout, si vous faites des excès à un repas donné, rattrapez-vous au suivant. Par ailleurs, reportez-vous au paragraphe « Suppléments aux régimes », un peu plus loin, il vous est davantage destiné dans une telle situation.

1. A la cantine

Vous rencontrerez moins de problèmes si vous suivez un régime garçon car le choix est plus vaste et l'alimentation salée. Les menus peuvent être connus à l'avance, alors n'hésitez pas à les demander et à vérifier chez vous si tel ou tel plat vous est permis. Alternez les repas à la cantine avec vos repas faits maison que vous emmènerez avec vous.

N'oubliez pas votre bouteille d'eau minérale, car dans ce cas vous êtes sûre de sa composition.

2. Chez les amis

Il est relativement facile de demander à ses amis ce qui entre dans la composition de tel ou tel plat et de savoir ainsi si vous pouvez en prendre. Si possible, essayez de les prévenir des aliments qui vous sont autorisés. Les

bons amis comprennent toujours, quelle que soit la raison. Mais méfiez-vous des farceurs, ils vous indiqueront
exactement l'inverse de ce que vous leur avez demandé !

3. Au restaurant

Prenez des plats simples, les moins cuisinés possible :
tartare, poisson ou viande grillée... Précisez bien au ser-
veur de ne pas saler les aliments si vous suivez un régime
fille et n'oubliez pas votre bouteille d'eau minérale.

LES MENUS

Nous nous sommes abstenus de donner des exemples
de recettes et de menus types pour de multiples raisons :

• D'abord, les prescriptions très détaillées pour
chaque régime suffiront largement à vous permettre de
composer vos menus avec liberté et simplicité.

• De plus, il existe des milliers de recettes dans la gas-
tronomie française et nous n'avons nullement l'intention
de vous restreindre à quelques dizaines.

• Le goût individuel de chacun fera qu'aucun menu
type ne sera suivi par la majorité d'entre vous.

• Le temps dont chacun dispose pour un repas est
très variable d'une personne à l'autre, ce qui condition-
nera le choix des recettes pour celles qui prennent les
repas chez elles : si elles ne disposent pas de beaucoup de
temps, elles réaliseront des menus simples et, dans le cas

contraire, elles composeront des recettes plus compliquées.

• Enfin, la composition des recettes est très variable d'une source à l'autre. Cependant, en prenant comme point de départ vos propres recettes et en vous aidant de la table de composition minérale des aliments en annexes, vous pourrez composer à votre guise les plats les plus sophistiqués.

LES SUPPLÉMENTS AUX RÉGIMES

Etant donné qu'il est difficile de respecter un régime alimentaire pendant plusieurs semaines tout en continuant de mener une vie normale, vous pouvez avoir recours à des suppléments en minéraux qui se surajouteront aux régimes sans les remplacer.

Toutes les études qui ont déjà été réalisées ont inclus ces suppléments dans les régimes. L'objectif étant d'avoir :

— un régime riche en sodium et potassium pour favoriser la naissance d'un garçon ;

— un régime riche en magnésium et calcium pour favoriser la naissance d'une fille.

Ces suppléments sont en vente en pharmacie et s'obtiennent sans ordonnance (33).

Par ailleurs, nous avons conseillé aux hommes de suivre les régimes par soutien conjugal, afin d'aider leur femme à les poursuivre sans écarts. Il est évident que les suppléments en minéraux ne les concernent pas.

Dans le régime garçon

• Sodium

Etant donné qu'il est retrouvé en grande quantité dans le sel de cuisine, il suffit de bien saler vos plats pour avoir les apports nécessaires.

• Potassium

Un supplément de potassium peut être obtenu avec «Kaléorid Leo» (600 mg) en prenant un comprimé le matin et un le soir (de préférence en fin de repas).

Dans le régime fille

• Magnésium

Un supplément de magnésium peut être obtenu avec «Mag 2» soit en prenant un sachet le matin et en milieu d'après-midi, soit en prenant une ampoule matin, milieu d'après-midi et fin de soirée.

• Calcium

Un supplément de calcium peut être obtenu avec une cuillerée à soupe prise midi et soir du sirop de «Calcium Sandoz».

Il est préférable d'éviter de prendre le magnésium et le calcium ensemble au cours de la même prise, ce qui empêche l'absorption par l'intestin des deux minéraux.

5

LES MÉTHODES NATURELLES

—

Les méthodes naturelles sont constituées d'une association de plusieurs méthodes concernant les rapports sexuels.

Nous commençons cette partie par des notions essentielles sur la reproduction, et un rappel des dates et des études les plus importantes déjà réalisées. Suivront quelques conseils nécessaires à connaître avant d'appliquer ces méthodes, et une description brève des éléments de base sur lesquels elles s'appuient. Ensuite, un grand chapitre est consacré aux techniques les plus importantes pour la détermination de l'ovulation (une étape incontournable des méthodes naturelles). Et enfin, vous découvrirez une prescription détaillée à suivre pour donner naissance à un garçon ou une fille.

Les notions essentielles

Sans nous étendre sur le sujet, ce chapitre comporte quelques notions élémentaires et simples qui vous faciliteront la compréhension du principe des méthodes naturelles (et de celles médicalement assistées) (29).

1. Les chromosomes et les gènes

A l'origine de tout être humain se trouve une cellule unique, appelée œuf fécondé, résultant de la rencontre et de la fusion d'un spermatozoïde et d'un ovule. Invisible à l'œil nu, cette cellule unique se multipliera en deux cellules, puis quatre, huit, seize et ainsi de suite... et donnera naissance à un être composé de plusieurs milliers de milliards de cellules.

Pour « construire » cet être humain, il faut disposer de certaines informations, qu'on appelle les « caractères héréditaires », portant sur :

— la morphologie de cet être, sa taille...
— les organes qui le forment, leur emplacement, leur nombre, leur forme, leur fonctionnement...
— la forme et la couleur des yeux, la couleur des cheveux...
— le groupe sanguin, les empreintes digitales, le sexe, etc.

Sans entrer dans les détails, il faut savoir que toutes ces informations sont codées sur des filaments présents à l'intérieur de l'œuf fécondé, qu'on appelle « **les chromosomes** ». L'emplacement précis de chaque information sur le chromosome est appelé « **gène** ». Il en existe près de 100 000, répartis sur l'ensemble des chromosomes, correspondant à tous les caractères héréditaires dont l'œuf fécondé aura besoin pour se développer en embryon puis en fœtus et donner la vie à un bébé. C'est par un processus complexe que le « gène » détermine le caractère héréditaire. Pour simplifier, sachez que chaque gène donne un « code » pour la fabrication d'une protéine, qui de par sa structure possède un rôle précis.

Etant donné que toutes nos cellules proviennent d'une et unique cellule, elles possèdent toutes les mêmes chromosomes et les mêmes gènes. Cependant, pour n'importe quel gène, « exister » ne signifie pas « s'exprimer ». En effet, au début de la croissance de l'œuf fécondé, ne vont se manifester que certains gènes concernant par exemple la morphologie ou le nombre d'organes, leur emplacement... Et plus tard, quand les cellules seront regroupées en organes, comme dans les cellules du cerveau, ne s'exprimeront que les gènes nécessaires au fonctionnement des cellules cérébrales, et dans les cellules du foie ne s'exprimeront que les gènes impliqués dans le fonctionnement de cet organe, etc.

Après un agrandissement d'une cellule sous un microscope, on constate que les chromosomes n'ont pas tous la même taille. Leur nombre, caractéristique de l'espèce humaine, est de 46. En les photographiant et en les comparant (c'est ce qu'on appelle le « caryotype »), on peut les grouper par paires que l'on numérote de 1 à 23 suivant la taille. Les deux chromosomes d'une même paire sont égaux en taille, sauf pour une seule paire. Il s'est avéré que cette dernière paire détermine le sexe. Ainsi, on a appelé les deux chromosomes qui la composent les « **chromosomes sexuels** » : on a défini par chromosome « **X** » celui qui est le plus long des deux, et par chromosome « **Y** » le plus petit. Les 44 autres chromosomes ont été appelés « **chromosomes autosomiques** ».

Chez les hommes, toutes les cellules possèdent 22 paires de chromosomes autosomiques et une paire de chromosomes sexuels XY (deux chromosomes de taille différente).

Chez les femmes, on retrouve 22 paires autosomiques et une paire sexuelle XX (deux chromosomes de même taille).

Sur les 46 chromosomes que nous possédons tous : 23 chromosomes viennent du père et 23 autres de la mère. Ainsi, pour chaque caractère héréditaire (« gène ») nous possédons deux versions : la version paternelle et la version maternelle. Ces versions peuvent être identiques ou différentes l'une de l'autre : chacun de nos caractères est un « compromis » entre ces deux versions.

Habituellement, toutes les cellules d'un être humain normal possèdent 23 paires à l'exception des cellules sexuelles qui ne possèdent que 23 chromosomes, sans aucune paire. On désigne par cellule sexuelle :

• soit le spermatozoïde : produit dans les testicules chez l'homme ; il contient « **la version génétique paternelle** » du futur embryon, répartie sur 23 chromosomes ;

• soit l'ovule : produit dans les ovaires chez la femme ; il contient « **la version génétique maternelle** » du futur embryon, répartie sur 23 chromosomes.

2. La détermination du sexe

Pour procréer, il faut réunir ces deux cellules, c'est ce que l'on appelle la fécondation (voir plus loin). Les 23 chromosomes paternels apportés par le spermatozoïde rejoindront les 23 chromosomes maternels de l'ovule, pour constituer ce qu'on appelle un œuf fécondé possédant 46 chromosomes.

Chez la femme, les ovules sont tous formés de 22 chromosomes + 1 chromosome supplémentaire long. Pour simplifier, on écrira : 22 + X.

Chez l'homme, il existe deux types de spermatozoïdes :

— ceux qui possèdent 22 chromosomes + 1 chromosome supplémentaire long : 22 + X, que nous appellerons par la suite « spermatozoïde X » ;

— ceux qui possèdent 22 chromosomes + 1 chromosome supplémentaire court : 22 + Y, que nous appellerons par la suite « spermatozoïde Y ».

Suivant le contenu du spermatozoïde, on peut avoir deux possibilités de fécondation :

— la rencontre d'un spermatozoïde portant (22 + X) avec un ovule contenant (22 + X) : donnera une fille (44 + XX) ;

— la rencontre d'un spermatozoïde portant (22 + Y) avec un ovule contenant (22 + X) : donnera un garçon (44 + XY).

Par conséquent, le sexe de l'enfant est déterminé dès l'instant où un spermatozoïde féconde un ovule : si c'est un « spermatozoïde X » naîtra une fille et si c'est un « spermatozoïde Y » naîtra un garçon.

La majorité des méthodes existant actuellement et applicables avant la fécondation (la méthode diététique, les méthodes naturelles, la méthode d'Ericsson) pour favoriser la naissance d'une fille ou d'un garçon, se basent sur un même principe : créer les conditions nécessaires pour amener un spermatozoïde X à féconder l'ovule quand on désire une fille, et un spermatozoïde Y quand on désire un garçon.

LE CYCLE MENSTRUEL

Depuis la puberté, la vie génitale de la femme est dépendante de substances appelées hormones. Ces hormones sont soumises à des variations cycliques : leur quantité dans le sang varie d'un jour à l'autre et ceci se reproduit de la même façon, plus ou moins régulièrement, pour former ce que l'on appelle : le cycle menstruel (2,12).

Les effets de ces hormones sont multiples. Parmi les nombreuses conséquences de ces variations, on peut noter :

— l'ovulation ou la libération d'un ovule par l'ovaire ;

— les règles ou le saignement par le vagin, si aucune grossesse n'a eu lieu.

D'après ces variations, le cycle menstruel se divise en deux parties : il y a celle qui précède l'ovulation et celle qui la suit.

1. Première partie du cycle

De durée très variable, elle s'étale du premier jour des règles jusqu'à l'ovulation. En effet, après 2 à 6 jours de règles, suit une phase durant laquelle une intense activité règne dans un des deux ovaires afin d'amener un ovule à maturation, c'est-à-dire prêt à être libéré dans la trompe de l'utérus.

Pendant ce temps-là, et sous l'influence de certaines hormones (qu'on appelle « les œstrogènes »), se développe la paroi de l'utérus qui s'apprête à accueillir cet ovule une fois qu'il est libéré et fécondé par un spermatozoïde. Durant cette phase, les seins ne sont ni tendus, ni douloureux et la température du corps varie d'un jour à l'autre mais reste en général inférieure à 37 °C.

Par ailleurs, sous l'influence de ces hormones, les glandes situées au niveau du col de l'utérus (l'entrée de l'utérus) produisent une substance qu'on appelle « glaire cervicale » jouant, comme nous le verrons plus loin, un rôle essentiel dans la reproduction. A distance de l'ovulation, la glaire cervicale est peu abondante et le col de l'utérus est fermé.

2. L'ovulation

Le jour venu (variable d'une femme à l'autre), une hormone appelée LH est sécrétée par le cerveau et va déclencher, quelques heures après sa sécrétion, la libération de l'ovule, dans une des deux trompes de l'utérus. Dans les moments qui précèdent l'ovulation, la glaire cervicale est fluide et le col de l'utérus légèrement ouvert, ce qui rend plus facile la remontée des spermatozoïdes du vagin vers l'utérus. Cet événement est suivi d'une élévation de la température du corps de 0,5 °C.

3. Deuxième partie du cycle

S'étalant de l'ovulation jusqu'à la veille des prochaines règles, elle est de durée légèrement variable (de 12 à 14 jours). Durant cette phase, la paroi de l'utérus continue à se préparer pour recevoir l'ovule, les seins augmentent de volume, deviennent tendus et sensibles vers la fin du cycle.

La température reste supérieure de 0,5 °C par rapport à la moyenne de la première phase. Ce décalage persistera durant toute la deuxième phase et jusqu'à la veille des règles où la température du corps revient progressivement en dessous de 37 °C.

Par ailleurs, sous l'influence d'une certaine hormone (qu'on appelle « la progestérone »), la glaire cervicale se transforme brutalement après l'ovulation. Elle devient peu abondante, collante et opaque, formant une sorte d'obstacle à la remontée des spermatozoïdes. Puis disparaît complètement jusqu'au cycle suivant.

Si l'ovule est fécondé, une grossesse commence avec comme première manifestation la disparition momentanée des règles. Si l'ovule n'est pas fécondé, s'ensuit une chute d'une partie de la paroi de l'utérus, cette partie qui s'était préparée à recevoir l'ovule et qui contient des petits vaisseaux sanguins, à l'origine des règles.

4. La régularité des cycles

La longueur du cycle est variable d'une femme à l'autre, de 25 jours à 35 jours, avec une moyenne de 28 jours. La date de l'ovulation l'est également : dans un cycle de 28 jours, elle survient en général le 14e jour. Mais attention, de nombreux facteurs peuvent affecter la durée des règles, la durée du cycle et retarder ou précipiter la date de l'ovulation. Notons parmi ces facteurs : l'état physique et psychologique, l'alimentation, le tabagisme, certaines maladies, etc.

5. La glaire cervicale

Elle est composée de deux structures (19) :

— d'une partie liquide où se trouvent des protéines, des minéraux, etc.

— et d'une partie solide formant une sorte de réseau en « mailles » plus ou moins serrées selon que l'on est plus ou moins proche de l'ovulation, ce qui oblige les spermatozoïdes « à forcer » ces mailles :

– lorsqu'elles sont trop serrées, les spermatozoïdes n'y arriveront pas ; c'est le cas au début de son apparition (après les règles), ou juste après l'ovulation ;

– lorsqu'elles sont lâches, les plus vigoureux parviendront à la traverser pour passer de l'autre côté du col, c'est-à-dire dans l'utérus ; c'est le cas dans les quelques jours qui précèdent l'ovulation jusqu'au jour où celle-ci se produit.

C'est au moment de l'ovulation que la pénétration de la glaire est la plus facile car les mailles sont moins serrées, mais tous les spermatozoïdes n'y arriveront pas. En effet, cette pénétration dépend également de leur vigueur (19) : les plus mobiles s'infiltreront plus rapidement et plus facilement que les autres, ceux qui sont peu mobiles risquent de ne pas rentrer et peuvent être exposés à l'acidité vaginale.

On devinera aisément le rôle principal de la glaire : d'abord, sélectionner les spermatozoïdes qui sont normaux et vigoureux, et ensuite les protéger de l'hostilité vaginale. Se surajoutent deux autres fonctions :

— elle les prépare à la fécondation de l'ovule ;
— elle constitue une sorte de refuge pour les spermatozoïdes qui attendent l'ovulation.

Parvenir à traverser cette glaire ne signifie pas pour autant que les spermatozoïdes sont hors de danger et arriveront tous à atteindre l'ovule. D'autres éliminations se feront un peu plus haut dans les voies génitales féminines.

LA FÉCONDATION

Il s'agit de la rencontre d'un spermatozoïde et d'un ovule (2,12).

1. Les spermatozoïdes

Produits dans les testicules dès la puberté et d'une façon permanente, les spermatozoïdes sont constitués d'une tête contenant le matériel génétique et d'une queue leur permettant d'être mobiles. Ils mesurent près de 0,06 mm. Leur survie dans les voies génitales féminines est de l'ordre de 4 jours.

2. L'ovule

A la puberté, la jeune fille possède un «stock» de quelques milliers d'ovules immatures, qui lui serviront pour toute sa vie. Chaque ovule est entouré par une couche formée de petites cellules, l'ensemble est appelé «follicule». Une fois par cycle, un groupe de follicules prend le chemin de la maturité, permettant à un seul d'entre eux d'y parvenir, libérant l'ovule au moment de l'ovulation. Un follicule mature peut atteindre 25 mm de diamètre. Par ailleurs, la durée de vie d'un ovule, une fois libéré, se situe entre 12 et 24 heures maximum.

3. La rencontre

C'est avec l'éjaculation que commence le parcours des «combattants». Alors que trois cents millions de spermatozoïdes sont déposés dans le vagin, seules quelques centaines atteindront l'ovule.

En effet, avant d'atteindre l'ovule, les spermatozoïdes doivent traverser le vagin. Or, par son acidité, le vagin protège les voies génitales féminines des infections éventuelles, au risque de rendre sa traversée périlleuse même pour les spermatozoïdes. D'où le rôle fondamental de la glaire cervicale. Ainsi, par sa composition alcaline, elle protège et améliore la mobilité des spermatozoïdes. Elle va les filtrer, ne permettant le passage que de ceux qui sont suffisamment mobiles et deviendra une sorte de refuge pour ceux-ci, où ils pourront survivre plusieurs

jours. Pour remonter jusqu'aux trompes, les spermatozoïdes comptent sur leur propre mobilité et sur les
contractions des organes génitaux féminins.

4. La période fertile

Plusieurs cas de figure se présentent suivant la date du
coït par rapport au cycle :

1. On est à **plus de 4 jours avant l'ovulation**, c'est-
à-dire depuis le début des règles jusqu'à 4 jours avant
l'ovulation : comme la durée de survie des spermatozoïdes ne dépasse pas les 4 jours, ces pauvres malheu-
reux, venus trop tôt, mourront avant l'arrivée de l'ovule.
L'ovule ne trouvera pas de spermatozoïdes vivants, par
conséquent ne sera pas fécondé et mourra à son tour de
solitude.

2. On est **entre 4 jours avant l'ovulation et l'ovulation** : l'état dans lequel les spermatozoïdes se trouveront
dépend de leur état initial et du milieu d'accueil. Ce qui
fait que certains vont mourir et d'autres vont survivre, en
se réfugiant dans la glaire cervicale : ils vont être protégés de l'acidité vaginale. Ces réfugiés devront être
patients : de temps en temps, une bande de spermatozoïdes va quitter ce refuge pour remonter l'utérus et les
trompes et voir si l'ovule est arrivé (une course de vitesse
s'engage alors entre les spermatozoïdes X et Y). A un
moment la rencontre se fera, mais un seul sera élu et aura
la chance de pénétrer l'ovule.

3. On est **entre l'ovulation et 24 heures après** : cette
fois-ci, c'est l'ovule qui attendra l'arrivée des spermatozoïdes. La fécondation aura lieu.

4. On est à **plus de 24 heures après l'ovulation** :

malheureusement, l'ovule n'est pas aussi patient qu'un spermatozoïde et si, au bout de 24 heures, rien ne se passe, il perdra vite espoir et mourra de regret.

Ainsi, la période s'étalant de 4 jours avant l'ovulation à 24 heures après constitue la période la plus fertile du cycle, où la probabilité d'être enceinte est grande si un rapport sexuel a lieu.

Cependant, les phénomènes naturels ne se répètent pas avec une grande routine, et on peut noter certains écarts à ces généralités :

— l'ovulation peut être déclenchée par les rapports sexuels ;

— une survie des spermatozoïdes jusqu'à 5 jours est fréquente ;

— une survie de l'ovule supérieure à 24 heures n'est pas exceptionnelle.

5. Le début de la vie

Lorsque la rencontre a lieu, elle se fait dans la trompe de l'utérus. Des réactions complexes se produisent permettant généralement à un seul spermatozoïde de pénétrer l'ovule, puis de fusionner ensemble. Cet œuf fécondé commence à croître et met 3 jours pour traverser la trompe utérine. Ce n'est qu'au 5e jour que l'œuf arrive dans l'utérus, il est formé d'une dizaine de cellules. Il se fixera sur la paroi de l'utérus qui s'est préparée à l'accueillir depuis une quinzaine de jours. C'est ce qu'on appelle « la nidation ». Commence alors la grossesse proprement dite ; jusqu'au deuxième mois on parlera « d'embryon », et par la suite de « fœtus ».

L'aventure

LES ORIGINES

Une des pionnières des méthodes naturelles fut une femme américaine, le docteur Kleegman, qui depuis les années 40 avait des soupçons sur l'existence d'un lien étroit entre la date du coït et celle de l'ovulation (22). Pour le confirmer, elle mena plusieurs études, parmi lesquelles une étude clinique préliminaire sur une longue période, qui lui a permis de pouvoir déterminer avec précision la date de l'ovulation (20). Il s'en est suivi une autre expérience conduite avec plus d'une centaine de femmes, qui avaient obtenu une grossesse à la suite d'une unique exposition (20). Cette exposition pouvait être naturelle (rapport sexuel) ou non naturelle (insémination artificielle), évidemment après avoir déterminé leur date d'ovulation. Les résultats furent stupéfiants :

— dans les 24 heures qui précédèrent l'ovulation : 77,6 % des naissances furent des garçons (76 naissances au total) ;

— plus de 36 heures avant l'ovulation : 73,1 % des naissances furent des filles (41 naissances au total).

LE « PÈRE » DES MÉTHODES NATURELLES

Par ailleurs, il est connu depuis longtemps d'une part que les spermatozoïdes se divisaient en deux catégories, la moitié portant le chromosome X et l'autre moitié le chromosome Y, et d'autre part que le chromosome X est de taille supérieure à son frère. Toute la question était de savoir s'il y avait d'autres différences entre les spermatozoïdes.

Au début des années 60, les découvertes d'un médecin américain nommé Shettles déclenchèrent toute l'aventure des méthodes naturelles. En effet, il mit en évidence des différences significatives entre les spermatozoïdes X et les spermatozoïdes Y [36,37]. Ces différences concernent :

— la forme : la tête du spermatozoïde X est plutôt ovale alors que celle du spermatozoïde Y est plutôt ronde ;

— la taille : la tête du spermatozoïde X est plus large que celle du spermatozoïde Y, qui est plus petite ;

— le nombre : dans la plupart des spermes qu'il a examinés, il y a plus de spermatozoïdes Y que de spermatozoïdes X.

Deux analyses paraissaient intéressantes :

1. Les spermatozoïdes Y ont plus de chance d'être rapides étant donné qu'ils sont plus petits (explication hydrodynamique : ils glissent plus facilement).

2. Les spermatozoïdes X ont plus de chance d'être résistants étant donné qu'ils sont plus gros (explication de bon sens : ils ont plus de réserves car plus volumineux).

LES CONFIRMATIONS

Par la suite, la découverte d'une substance fluorescente appelée quinacrine, se fixant sur le chromosome Y (1), constitua un grand tournant. En effet, en marquant sélectivement les spermatozoïdes Y et non les X, cette substance permet d'apprécier « la richesse en spermatozoïdes Y » dans un échantillon donné.

Les expériences se multiplièrent et vinrent confirmer que les spermatozoïdes X sont plus larges (25) et que les spermatozoïdes Y sont plus rapides (7,13,17,28). Dans certains tests, les spermatozoïdes ont été mis en contact avec la glaire cervicale en laboratoire (17,28) ; alors que dans d'autres tests le mélange sperme-glaire était fait en milieu naturel (7). Dans cette dernière expérience, faite après un coït, on remarqua que les spermatozoïdes Y pénétraient mieux la glaire où ils se trouvaient en plus grande quantité, ce qui n'était pas le cas dans l'éjaculat (sperme éjaculé par l'homme). Ce fut confirmé par la présence d'un plus grand nombre de spermatozoïdes Y dans l'utérus. Or, on a su par la suite que le pouvoir de pénétration de la glaire par les spermatozoïdes dépendait de la consistance de celle-ci et principalement de la vigueur des spermatozoïdes (19) : les plus mobiles pénétraient plus rapidement et plus facilement que les autres, les moins mobiles ne rentraient pas tous et étaient alors exposés à l'acidité vaginale. Voilà une confirmation indirecte que les spermatozoïdes Y sont plus vigoureux que les spermatozoïdes X.

LES ENQUÊTES

On distingue deux types d'enquêtes :

• **Les enquêtes rétrospectives** : où l'on sélectionne un groupe de personnes déjà parents soit d'un garçon soit d'une fille, et on étudie les facteurs qui ont pu influencer et conduire à l'une ou à l'autre des situations.

• **Les enquêtes prospectives** : où on fait l'inverse de la procédure des études rétrospectives, c'est-à-dire on demande à des couples d'appliquer certaines méthodes censées favoriser les garçons ou les filles, et on vérifie ensuite leur véracité.

Il faut savoir que la plupart des études rétrospectives réalisées sur les méthodes naturelles n'avaient aucune valeur scientifique, car elles étaient trop imprécises. En effet, on demandait, neuf mois après la conception, à des couples qui venaient d'avoir un garçon ou une fille, s'ils avaient eu des rapports sexuels le jour de l'ovulation ou trois jours avant, s'ils avaient eu un seul rapport ou plusieurs, quelles avaient été les positions, si la femme avait eu un orgasme ou pas, et si oui à quel moment, avant l'homme ou après ? Etc. Or, il est impossible d'enquêter plusieurs mois après les faits et d'obtenir des réponses précises.

Quant aux études prospectives, pour qu'elles soient objectives, il faut prêter une grande attention au choix des personnes qui y participeront. En effet, ces études sont difficiles à mener pour deux raisons :

— il n'est pas facile de trouver des couples qui acceptent de suivre un certain protocole, souvent contraignant, dans un domaine aussi tabou que celui du sexe ;

— il est impossible d'exercer un contrôle pour vérifier que les couples sélectionnés appliquent avec précision tous les points du protocole (date des rapports, abstinence, position, orgasme…) car aucun couple n'acceptera une telle intrusion dans sa vie intime.

Alors que la première difficulté est facilement surmontable avec le temps, la deuxième difficulté impose une sélection drastique des couples devant participer à de telles études. La seule certitude qu'on puisse obtenir d'un couple sélectionné qu'il suivra scrupuleusement le protocole est sa motivation vis-à-vis du choix du sexe de l'enfant. En effet, les couples qui sont motivés et qui désirent réellement choisir le sexe de leur futur enfant feront plus difficilement des écarts au protocole qu'un couple non motivé, à qui il sera égal d'avoir un garçon ou une fille.

En bref, la plupart des études dont les résultats ne figurent pas dans cette partie peuvent être classées dans les deux catégories suivantes :

— soit parce qu'elles font partie d'études rétrospectives imprécises et par conséquent ininterprétables ;

— soit parce qu'elles font partie d'études prospectives menées avec des couples qui n'avaient aucune préférence pour le sexe de leur futur enfant ; en l'absence de tout contrôle, ces couples non motivés ont suivi à leur guise un protocole précis et contraignant ; par conséquent les résultats obtenus sont également ininterprétables.

Dans ces conditions, on mesure davantage les mérites de ces médecins américains ou français comme Kleegman, Shettles ou Séguy, qui ont pu faire des études prospectives correctes.

En effet, sur 25 femmes désirant choisir le sexe de leur futur enfant, Kleegman (20) obtint un taux de réussite de 77 %, en appliquant seulement la méthode de la date du coït par rapport à l'ovulation.

Shettles (35) mena une étude où plusieurs méthodes furent appliquées par les participantes. Sur 22 couples désirant un garçon, 19 furent satisfaits (86 %), et sur 19 couples désirant une fille, 16 le furent également (84 %). Fort du succès de sa méthode, il publia un livre sur le sujet. D'après les milliers de lettres qu'il reçut et qu'il continue de recevoir des couples qui appliquent ces méthodes, l'efficacité se situe entre 75 et 90 % (34).

En France, une étude menée par Séguy avec 100 couples parvint à satisfaire presque 80 % d'entre eux (32).

D'autres chercheurs ont retrouvé des résultats semblables (4,31).

Une découverte récente (11) viendra une fois de plus confirmer et consolider les résultats de Shettles. En effet, deux chercheurs australiens ont mené une grande étude portant sur la morphologie des spermatozoïdes. Plusieurs centaines d'entre eux ont été pris au hasard chez 11 donneurs de sperme et ont été photographiés avec les meilleurs appareils. Ces photographies ont été agrandies plusieurs dizaines de fois afin de permettre de mesurer la longueur, le périmètre et la surface de la tête de chacun. Ensuite, on a identifié chaque spermatozoïde avec une technique parfaitement fiable. Leur conclusion est sans appel : chez les humains, les spermatozoïdes Y sont moins larges et moins longs que les spermatozoïdes X, ce qui peut expliquer une fois de plus leur plus grande rapidité.

Les dispositions à prendre auparavant

Pour conduire toute grossesse à terme, avec le minimum de problèmes possibles, il faut être en bonne santé. Afin de vous assurer que vous l'êtes, un bilan médical paraît souhaitable, que vous vouliez ou non choisir le sexe de votre enfant, même si dans la plupart des cas ce bilan se révélera normal.

1. La rubéole

Cette visite médicale offrira l'occasion à votre médecin traitant de contrôler votre immunité vis-à-vis de la rubéole. En effet, cette infection virale, fréquente dans l'enfance, est bénigne à tous les âges sauf chez la femme enceinte, car elle fait courir au fœtus de nombreux risques dont celui de naître avec des malformations. Or, un vaccin existe et peut permettre à la femme n'ayant jamais contracté la rubéole de s'immuniser avant d'être enceinte. Il y a peu de risques que vous ne soyez pas protégée, comme le sont la grande majorité des femmes en France, soit parce que vous avez eu la rubéole, soit parce que vous avez été vaccinée. Cette vaccination aurait pu avoir lieu :

— durant l'enfance, à la puberté ou à l'adolescence ;

— lors d'une visite médicale avant la prise d'une pilule contraceptive ;

— lors d'un bilan prénuptial ;

— ou lors des suites de couches après un bilan prénatal de votre première grossesse, ayant montré que vous n'étiez pas immunisée.

Néanmoins, si vous n'êtes pas immunisée ou si vous avez des doutes, la vaccination s'impose. Elle ne comporte qu'une seule injection et l'immunité qu'elle procure vous protège pour au moins vingt ans. Sachez également qu'elle ne pourra être réalisée que si vous n'êtes pas enceinte au moment de l'injection (une analyse de sang prescrite par votre médecin pourra le confirmer). Il est également recommandé d'éviter de commencer une grossesse dans les deux mois qui suivent cette vaccination. D'où l'importance d'utiliser un moyen contraceptif sûr, comme la pilule. Ce délai nécessaire peut être mis à profit pour vous préparer aux méthodes naturelles avec des cycles d'entraînement. Malheureusement, il ne vous sera pas possible de déterminer vos dates d'ovulation alors que vous êtes sous pilule car, dans la plupart des cas, celle-ci est bloquée.

2. Les grossesses à risque

Il n'existe aucune contre-indication particulière aux méthodes naturelles, si ce n'est les précautions à prendre pour certaines grossesses tout simplement. Ces grossesses dites « à risque » nécessitent une étroite surveillance médicale. Elles concernent des femmes très jeunes ou âgées, de petite taille, obèses, aux antécédents gynéco-obstétriques nombreux, ou souffrant de certaines maladies comme l'hypertension artérielle, le diabète... Votre médecin traitant, connaissant parfaitement vos antécédents, est bien placé pour vous conseiller si vous avez un risque particulier pour conduire une grossesse.

3. L'analyse du sperme

Par ailleurs, chez les couples qui ont plus de trois enfants du même sexe, et notamment des filles, il serait souhaitable de réaliser le spermogramme du mari, afin de détecter toute anomalie qui pourrait être à l'origine de cette situation. En effet, on a remarqué que les hommes qui avaient un sperme avec un nombre de spermatozoïdes inférieur à la normale, ou un nombre de spermatozoïdes anormaux ou peu mobiles élevé, engendraient le plus souvent des filles (23, 33).

L'ARRÊT DE LA CONTRACEPTION

Selon votre immunité vis-à-vis de la rubéole, votre démarche sera la suivante :

— si vous êtes immunisée, vous pouvez arrêter les moyens contraceptifs (pilule, spermicide, ou stérilet) immédiatement ;

— si vous n'êtes pas immunisée, et que vous prenez la pilule, continuez votre contraception pendant les deux mois qui suivent votre vaccination.

Le mécanisme d'action des contraceptifs est très différent selon le moyen utilisé : le stérilet empêche l'ovule fécondé de se fixer sur l'utérus, les pilules bloquent l'ovulation… et dans les deux cas il y a modification de la glaire cervicale. Quelques semaines après cet arrêt, vous retrouverez vos cycles naturels.

Contrairement à quelques idées répandues, la pilule ne rend pas stérile. Souvent, la stérilité était antérieure à la contraception mais elle était jusqu'alors ignorée. Par ailleurs, une bonne surveillance, durant toute la période où le stérilet est en place, vous assure une récupération totale de votre fertilité.

Le premier cycle qui suit l'arrêt du moyen contraceptif ne peut en aucun cas servir de modèle pour déterminer la date d'ovulation des cycles suivants, car ce n'est pas un cycle typique mais plutôt un cycle intermédiaire avant de retourner à l'état antérieur et retrouver vos cycles naturels. Les cycles suivants peuvent en l'occurrence servir de modèles : si vous avez du temps et si vous n'êtes pas impatiente, prévoyez au moins deux cycles intermédiaires, et deux cycles d'entraînement, avant la date où vous allez essayer d'être enceinte.

Ce temps sera nécessaire aussi bien pour connaître votre cycle menstruel normal (afin de déterminer votre ovulation, étape primordiale dans les méthodes naturelles), que pour laisser à l'organisme le temps de retrouver son rythme naturel.

Pendant cette période, le meilleur moyen pour éviter d'être enceinte avant l'application des méthodes naturelles reste le préservatif. Il a le quadruple avantage :

— d'être un moyen contraceptif simple et efficace ;

— d'éviter le mélange du sperme et de la glaire cervicale (ce qui vous compliquera les choses pour déterminer votre ovulation si vous optez pour la méthode de la glaire cervicale) ;

— de ne pas modifier la glaire (comme la pilule) ;

— de protéger des maladies sexuellement transmissibles (même si ce n'est pas le but recherché).

Les éléments de base des méthodes naturelles

LES FACTEURS MASCULINS

1. La vitesse des spermatozoïdes

Pour analyser la vitesse de progression des spermatozoïdes X et Y, les chercheurs ont utilisé deux «champs de courses» différents :

• La glaire cervicale : rien de plus logique, car pour qu'une grossesse naturelle ait lieu, les spermatozoïdes sont obligés de traverser cette glaire. On peut classer les expériences en deux catégories :

— celles où les spermatozoïdes ont été mis en contact avec la glaire en laboratoire (17, 28) ;
— celles où la rencontre sperme-glaire est faite dans le vagin durant un coït (7).

• Un milieu différent de la glaire (13).

Toutes ces expériences ont montré **une plus grande mobilité des spermatozoïdes Y**. C'est un des éléments fondamentaux des méthodes naturelles.

2. La résistance des spermatozoïdes

La plus grande rapidité des spermatozoïdes Y conduit à une analyse très importante : en étant plus rapides, ils doivent probablement «brûler» leurs réserves énergétiques beaucoup plus vite que les spermatozoïdes X. Pour être schématique, au bout d'un certain temps, ils sont épuisés, à la différence des spermatozoïdes X.

Par ailleurs, certains éléments laissent penser que les spermatozoïdes Y offrent une moindre résistance. En effet, au tout début de la conception, les embryons mâles seraient au moins 40 % plus nombreux que les embryons femelles (8, 30, 38) (à la naissance la différence n'est pas si importante mais le nombre de garçons demeure supérieur à celui des filles). En d'autres termes, les embryons mâles se fixent moins bien sur la paroi de l'utérus que les embryons femelles. Est-ce parce qu'ils sont moins résistants ?

D'autre part, on a constaté, chez les couples où l'homme avait une anomalie du sperme, une majorité de filles parmi les enfants vivants normaux, et une majorité de garçons parmi les fausses couches (23, 33). Il semble bien que les conditions défavorables conduisant à des anomalies du sperme soient plus préjudiciables pour les spermatozoïdes Y que pour les spermatozoïdes X.

3. La fréquence des éjaculations

On a déjà remarqué que la qualité du sperme influence la répartition des spermatozoïdes. Dans un sperme pauvre en spermatozoïdes, les spermatozoïdes Y sont en faible nombre par rapport aux spermatozoïdes X. Alors que dans un sperme normal, le nombre de spermato-

zoïdes Y dépasse légèrement celui des spermatozoïdes X
(31,33,36,37).

Par conséquent, l'abstinence sexuelle, qui permettrait
d'augmenter le nombre total de spermatozoïdes, serait
associée à une élévation du nombre de spermatozoïdes Y.

D'autre part, plusieurs facteurs peuvent conduire à une
baisse du nombre total de spermatozoïdes (certaines
maladies, l'exposition des testicules à la chaleur, certains
toxiques, le stress…), qui devrait se faire au détriment
des spermatozoïdes Y.

LES FACTEURS FÉMININS

1. L'acidité vaginale

Dans les années trente, un médecin allemand remarqua qu'en alcalinisant le vagin (pour le rendre moins
acide) chez des femmes stériles, il parvenait non seulement à aider ces femmes à être enceintes, mais à avoir
plus facilement un garçon qu'une fille. Cette remarque
fut confirmée chez les animaux (27), et fut reprise par
Shettles.

L'alcalinisation du vagin (par une eau bicarbonatée),
quelque temps avant le coït favoriserait l'ascension des
spermatozoïdes Y et par conséquent les garçons, alors
que l'acidification (par une eau vinaigrée) favoriserait les
spermatozoïdes X et par conséquent les filles.

Il est apparu par la suite que cet effet serait limité, car
le sperme humain possède lui-même un pouvoir tampon

(anti-acide) qui est capable de diminuer l'acidité vaginale pendant une dizaine d'heures : le temps nécessaire pour que les spermatozoïdes se réfugient dans la glaire cervicale. Le recours à des injections vaginales d'eau bicarbonatée ou d'eau vinaigrée, souvent désagréables, n'est pas nécessaire dans la grande majorité des cas.

2. Les sécrétions

Il est connu que les sécrétions vaginales sont acides et que celles du col sont alcalines (12). Après simulation des conditions physiologiques en laboratoire, les spermatozoïdes X semblent mieux résister que les spermatozoïdes Y à un environnement acide, alors qu'un milieu alcalin favoriserait davantage les spermatozoïdes Y (31, 33, 35).

Ceci rejoint aussi la notion que l'on a d'une plus grande fragilité du spermatozoïde Y et d'une plus grande résistance du spermatozoïde X.

3. L'orgasme

Durant l'acte sexuel, de multiples phénomènes surviennent chez la femme. Parmi les plus importants et les plus intéressants, on note (24) :

• la lubrification et la modification de la taille du vagin, qui s'allonge, se rétrécit à son entrée et se contracte régulièrement au moment de l'orgasme ;
• l'élévation et la contraction de l'utérus ;
• l'ouverture du col de l'utérus immédiatement après l'orgasme.

Plusieurs chercheurs ont noté l'importance de l'orgasme féminin sur la sélection des sexes (33,35) : un orgasme qui précéderait celui de l'homme pourrait augmenter l'alcalinité vaginale et favoriser ainsi les spermatozoïdes Y et la conception d'un garçon.

4. La durée de la première phase du cycle

La première phase du cycle débute le premier jour des règles et s'étend jusqu'à l'ovulation. Si tous les paramètres sont égaux par ailleurs, il semblerait, selon certaines études récentes, que plus cette période est courte plus vos chances de concevoir un garçon sont importantes. Et à l'inverse, plus elle est longue, plus vos chances de concevoir une fille sont grandes (40).

Comme la deuxième phase du cycle est en général constante et ne varie pas beaucoup d'une femme à l'autre (12 à 14 jours), on peut supposer que plus la durée du cycle menstruel est courte, plus on a de chances d'avoir un garçon, et plus sa durée est longue, plus on a de chances d'avoir une fille, si bien sûr tout est laissé au hasard. A titre purement indicatif, on peut estimer par cycle court, un cycle moyen de durée inférieure à 28 jours et par cycle long, un cycle de durée supérieure à 30 jours.

Néanmoins, ce paramètre reste inexploitable car on peut difficilement le modifier.

LES FACTEURS GÉNÉRAUX

1. La date de l'insémination artificielle

Depuis longtemps, on a soupçonné l'existence d'un lien étroit entre la date du coït et celle de l'ovulation (22). Or, la façon la plus simple pour étudier l'influence de ce paramètre était de remplacer le coït (où l'insémination est naturelle mais incontrôlable par le médecin) par l'insémination artificielle (où il appartient au médecin de recueillir le sperme du mari et de le déposer dans le vagin ou l'utérus). L'intérêt de cette insémination par rapport au coït est qu'en connaissant la date de l'ovulation, on pourrait programmer et contrôler le déroulement des opérations.

Une confirmation des doutes s'est avérée possible avec l'étude menée chez des femmes déjà enceintes par insémination artificielle, chez qui on a prédit le sexe du fœtus avec un succès de 75 % (21).

Ce fut également le cas avec l'une des plus sérieuses enquêtes, effectuée d'après les données de différentes cliniques d'infertilité aux Etats-Unis et portant sur plus de 500 cas (16). Cette étude a montré que les inséminations réalisées à quelques jours de distance de l'ovulation donnaient plus de filles, alors que celles réalisées à un moment plus rapproché de l'ovulation donnaient plus de garçons.

2. La date du rapport sexuel

L'étude menée par un médecin polonais, le Dr Benendo, avec 322 couples, a parfaitement démontré l'importance de la date du coït par rapport à celle de l'ovulation (3). En effet, les participants ont été répartis en 3 groupes :

- 156 couples ont eu des rapports sexuels de 2 à 5 jours avant l'ovulation ;

- 18 couples ont eu des rapports sexuels 2 jours avant l'ovulation ;

- 148 couples ont eu des rapports sexuels dans la période allant du jour précédant l'ovulation jusqu'au 2e jour qui la suit.

La répartition des naissances se faisait de la façon suivante :

- 1er groupe : 157 nouveau-nés comptant 1 paire de jumeaux avec 133 filles (84,7 %) et 24 garçons.

- 2e groupe : 9 garçons et 9 filles.

- 3e groupe : 151 nouveau-nés comptant 3 paires de jumeaux avec 131 garçons (86,8 %) et 20 filles.

D'où l'importance que nous avons accordée à la détermination de l'ovulation dans le chapitre suivant.

CONCLUSION

En réunissant les conditions les plus favorables à l'un des deux types de spermatozoïdes, on permettrait à ces spermatozoïdes d'être prédominants en nombre au moment du contact avec l'ovule, augmentant ainsi les chances que ce dernier soit fécondé par l'un d'entre eux.

La détermination de l'ovulation

La détermination de l'ovulation est nécessaire à trois catégories de femmes :

• celles qui ne veulent pas être enceintes et ne désirent pas prendre de moyens contraceptifs : elles pourront connaître parfaitement la période féconde dans leur cycle et éviter les rapports sexuels durant cette période ;

• celles qui désirent être enceintes, sans vouloir pour autant choisir le sexe de leur enfant : elles augmenteront leurs chances d'être enceintes à chaque cycle en ayant des rapports sexuels dans les jours qui précèdent l'ovulation et éviteront une attente trop longue avant la concrétisation de leur désir ;

• celles comme vous qui souhaitent choisir le sexe de leur enfant par les méthodes naturelles.

Dans un premier temps, il est indispensable de laisser passer au moins deux cycles que nous appellerons les « **cycles d'entraînement** », qui vous serviront à déterminer votre jour d'ovulation, avant de tenter dans un second temps d'être enceinte au cours de cycles que nous dénommerons les « **cycles d'essais** ».

Il existe de multiples moyens pour déterminer la date

de l'ovulation. Ces moyens sont simples et peu coûteux dans la majorité des cas. Nous essayerons d'être exhaustifs, afin de vous permettre de choisir la méthode qui vous conviendra le mieux, voire d'associer plusieurs méthodes entre elles.

Cependant, il convient de ne pas confondre ces méthodes de «détermination de l'ovulation» avec les «indicateurs de fertilité», qui sont des appareils conçus, comme leur nom l'indique, afin de déterminer la période de fertilité du cycle (utile pour les femmes qui désirent être enceintes ou pour celles qui ne souhaitent pas l'être). Certains utilisent la température du corps (et les longueurs des cycles antérieurs) et d'autres la détection des hormones dans les urines. Chaque jour, la femme prend sa température ou fait imprégner un bâtonnet d'urine et l'introduit dans le testeur. L'appareil est programmé pour donner des résultats très simplifiés :

— une lumière verte indique que la femme est dans une période du cycle où «elle n'est pas féconde»;
— une lumière rouge indique qu'elle est dans une période où «elle est féconde».

Ainsi, le manque de précision de ces appareils pour détecter le jour exact de l'ovulation ne permet pas de les utiliser dans les méthodes naturelles du choix du sexe.

Vous trouverez en annexe du livre des tableaux récapitulatifs qui peuvent réunir toutes les informations concernant la recherche de votre date d'ovulation. Ils sont très pratiques et vous aideront à vous y retrouver. Photocopiez-les autant de fois que vous pensez en avoir besoin. Chaque cycle correspondra à une page. Nous avons accompagné ces tableaux vierges d'autres correspondant à un cas pratique. Les quelques conseils qui suivent sont suffisants pour vous aider à déterminer aisément la date de votre ovulation. Mais la seule preuve formelle qu'une ovulation ait bien eu lieu réside dans la survenue d'une grossesse.

LES MÉTHODES FRÉQUEMMENT UTILISÉES

1. La courbe de température

Cette méthode, qui offre à toutes les femmes la possibilité d'explorer leur cycle menstruel (déterminer si elles « ovulent » ou non), permet uniquement à celles qui ont des cycles réguliers de pouvoir prédire la date de leur ovulation.

Elle consiste à tracer une courbe obtenue en prenant la température orale (sous la langue), vaginale ou rectale, tous les matins au réveil, avant toute activité (se lever du lit, boire, manger…) (2,12). Comme nous l'avons expliqué dans la partie consacrée au cycle menstruel, la température du corps varie d'un jour à l'autre, mais reste en dessous de 37° durant la première partie du cycle et passe au-dessus de 37° dans la deuxième phase. Ce décalage thermique se produit au moment de l'ovulation.

En pratique, mettez le thermomètre à côté de vous, et si possible faites la prise à la même heure et avec le même thermomètre, pendant 2 minutes à chaque prise. Sachez que la température orale est inférieure aux autres et qu'elle est plus sujette aux variations.

En traçant cette courbe, vous pourrez déduire, a posteriori, à quel moment a eu lieu l'ovulation dans chaque cycle. Mais il est impossible de la dater avec précision : on peut définir un intervalle de grande probabilité qui se situe à cheval entre deux jours. En effet, on a remarqué qu'en général l'ovulation a lieu dans les 24 heures qui suivent «le dernier point le plus bas» de la courbe. Une fois défini le jour d'ovulation à partir des anciens cycles, cela vous permettra, si vous avez des cycles réguliers, de prévoir la prochaine ovulation qui aura lieu au même moment que celle des cycles précédents. Sachez qu'en pratique de petites variations peuvent exister d'un cycle à l'autre, d'où l'importance de faire au moins deux cycles d'entraînement, et plus vous en faites plus votre prédiction sera précise.

Pour bien comprendre, prenons l'exemple de la courbe située en annexe du livre. On voit nettement le décalage de température entre les deux phases du cycle, qui se produit aux alentours du 14e-15e jour :

— La température moyenne de la 1re phase du cycle (qui s'étend du 1er jour des règles jusqu'au 14e-15e jour du cycle) est de l'ordre de 36,7°.
— Par contre, la température moyenne de la 2e phase du cycle (qui s'étend du 14e-15e jour du cycle jusqu'aux prochaines règles) est de l'ordre de 37,2°.

Le 14e jour est le dernier jour du cycle où la température est encore basse à «36,7°». En effet, le 15e jour elle remonte à 36,9° et le 16e jour à 37,1°. Il est fort probable que l'ovulation ait eu lieu ce 14e jour, expliquant pourquoi la température du lendemain monte brutalement et dépasse la température moyenne de la 1re phase du cycle.

Cependant, sachez que vous ne pourrez plus l'appliquer s'il y a un grand changement dans votre mode de vie. En effet, l'état physique (fatigue, coucher tardif, insomnie, travail de nuit...) et psychologique (stress, chocs affectifs...), l'alimentation (alcool...), les voyages long-courriers (décalage horaire), les maladies (infections…) et certains médicaments (antipyrétique comme l'aspirine) pourront perturber votre courbe thermique : soit en affectant la régularité des cycles et par conséquent en décalant le jour de l'ovulation, soit en empêchant toute ovulation, soit en augmentant ou en diminuant la température du corps sans qu'une ovulation se soit produite.

De toute façon, n'oubliez pas les règles suivantes : prendre votre température toujours par la même voie (orale, vaginale ou rectale), respecter une durée d'au moins 7 heures de repos ininterrompues avant la prise et noter tout changement dans votre mode de vie sur le tableau récapitulatif.

Il arrive que certaines courbes soient anormales car elles ne présentent pas de décalage entre les deux phases du cycle, la température restant inférieure à 37° ; dans d'autres cas, le décalage ne dure que quelques jours et revient en dessous de 37° bien avant l'arrivée des règles… Si la 2e phase persiste pendant plus de 21 jours (et est constaté un retard de règles), il est fort possible que vous soyez enceinte. Ainsi, si votre courbe de température est atypique, votre médecin saura vous donner toutes les explications nécessaires.

Enfin, sachez que si vous avez un problème de fécondité (vous n'arrivez pas à être enceinte), la première démarche qu'il vous sera demandé de faire dans le cadre d'un bilan médical consistera dans la réalisation de cette courbe thermique.

2. La glaire cervicale

Plus connue sous le nom de méthode «Billings», du nom du médecin australien qui en est l'instigateur, elle s'adresse à toutes les femmes ayant des cycles réguliers ou non.

Elle peut apparaître simple mais elle est précise. Elle consiste à observer tous les jours la glaire cervicale dont l'aspect et la quantité varient selon le moment du cycle.

Au début de son apparition (après les règles), et à la suite de l'ovulation (ainsi que pendant la grossesse), elle est peu abondante, épaisse, trouble ou «nuageuse», un peu gluante et surtout visqueuse. Elle empêche par cette consistance la pénétration en nombre des spermatozoïdes et des micro-organismes dans les voies génitales féminines.

On note une transformation de jour en jour avec diminution de la viscosité. Cette transformation atteint un maximum en quantité et en qualité, qu'on appelle «le pic de glaire». Ce pic, qui précède l'ovulation d'un jour, reflète les caractéristiques d'une glaire qui devient particulièrement favorable à la pénétration des spermatozoïdes : abondante, limpide, claire, voire transparente comme l'eau, et filante (mise dans un tube étroit vertical, elle glisse 50 fois plus vite que la glaire produite au début du cycle (26)).

Parmi les autres caractéristiques, on peut noter sa grande élasticité au moment de l'ovulation où elle se laisse écarter sans se rompre. Cette élasticité peut être mesurée en prenant un peu de glaire entre le gros doigt et l'index et en se plaçant au-dessus d'une règle. Au début de son apparition, quand vous allez écarter les doigts, un petit filament se forme et se rompt aussitôt. Au moment de l'ovulation, il faut près de 10 cm pour que le filament de glaire se rompe.

Sachez encore que si vous l'étalez sur un miroir et que vous la laissez sécher, elle se cristallise « en feuilles de fougère » avec de fines ramifications.

Après l'ovulation, la glaire cervicale disparaît complètement.

Ce n'est que le changement d'aspect de la glaire qui indique que l'ovulation a bien eu lieu et non l'apparition du pic de glaire, qui a une durée variable d'une femme à l'autre (24 à 48 heures, ou plus).

Nous vous conseillons de tester la glaire à la source, c'est-à-dire au niveau du col de l'utérus (entrée de l'utérus) plutôt qu'au niveau de la vulve, car la glaire qui est sécrétée par les glandes du col peut n'être décelée au niveau de la vulve qu'après un décalage de un à deux jours.

L'examen de la glaire se fait après avoir uriné et effectué un lavage des mains. Insérez doucement l'index dans le vagin jusqu'à ce que vous touchiez le col, facilement reconnaissable à son aspect saillant et dur (comme le bout du nez). Pour faciliter l'examen, comprimez votre ventre au même moment avec l'autre main, cela basculera l'utérus vers l'avant. Le vagin ne dépassant pas les 10 cm, vous ne serez pas obligée d'enfoncer votre doigt trop loin. Une fois que vous sentez le col au bout du doigt, raclez délicatement un peu de glaire afin de l'examiner.

Vous trouverez ci-dessous l'évolution de la glaire au cours d'un cycle de 28 jours (ce ne sont que des moyennes, ne vous fiez pas uniquement à ce schéma, mais privilégiez plutôt votre examen) (2, 5, 6, 12, 15, 20) :

1er au 5e jour : durant les jours des règles, la glaire est inexistante.

6e au 7e jour : jours dénommés «jours secs» où une absence de sang et de glaire est remarquée.

8e jour : jour dénommé «jour humide»; la glaire commence à apparaître, elle n'est pas abondante, plutôt épaisse, opaque, gluante et visqueuse.

9e au 10e jour : toujours de même consistance, elle est peu élastique.

11e jour : la glaire devient plus abondante, plus élastique, moins opaque qu'auparavant, un peu plus liquide, elle coule plus facilement.

12e jour : la glaire est de plus en plus liquide, plus claire et plus élastique.

13e jour : c'est le jour où la glaire deviendra maximale, en qualité et en quantité : importante, très liquide (comme du blanc d'œuf), transparente, plus glissante, très élastique.

14e jour : c'est probablement le jour de l'ovulation. Généralement, «le pic de glaire» ne dure pas plus d'une journée. Mais, dans certains cas, cela peut durer 2 jours ou plus, alors que l'ovulation coïncidera avec le changement de consistance de la glaire : plus trouble, épaisse, moins élastique. Si la glaire reste très claire, coulante, très élastique pendant 3 jours, l'ovulation se fera durant le 3e jour. D'où l'importance de faire au moins deux cycles d'entraînement pour bien vous connaître, afin de mieux déterminer votre date d'ovulation.

15e jour : disparition de la glaire.

Si vous voulez être précise dans l'estimation de votre

ovulation, à partir du moment où la glaire commence à être élastique et claire, testez deux fois par jour.

3. Les tests urinaires

L'utilisation de tests urinaires pour la détermination de l'ovulation est peu connue car elle est récente. Pourtant, il serait dommage de ne pas en tenir compte vu leur simplicité d'utilisation et leur grande précision. Ils s'adressent à toutes les femmes, qu'elles aient des cycles réguliers ou non.

Comme nous l'avons mentionné précédemment, les ovaires sont contrôlés par le cerveau par l'intermédiaire d'une substance appelée LH. Sa quantité dans le sang reste très faible jusqu'à un moment donné où elle s'élève brutalement et atteint un maximum qu'on appelle le pic de LH sanguin. Un certain temps après ce pic, survient la libération de l'ovule par l'ovaire (de quelques heures à quelques dizaines d'heures après) (10). Durant ce laps de temps et par la suite, cette substance est éliminée petit à petit dans les urines. A un moment donné, la quantité de LH dans les urines atteint un maximum qu'on appelle le pic de LH urinaire.

Les tests urinaires, qui sont en vente libre en pharmacie, détectent cette substance dans les urines. Nous vous recommandons notamment le « Bluetest - Test d'ovulation » qui permet d'utiliser les urines à n'importe quel moment de la journée et pas uniquement celles du matin. Ceci vous donnera plus de liberté et de souplesse quant au choix du moment qui vous convient le mieux pour réaliser ces tests. Ils fonctionnent suivant le même principe qu'un test de grossesse : la présence de cette substance dans les urines va changer la couleur du support sur lequel se fait le test et laisser apparaître une bande colorée. Si le test est positif, la substance est présente, cela veut dire que l'ovulation aura lieu dans moins de 40 heures. Si le test est négatif, la substance n'est pas présente, il faudra recommencer ultérieurement.

Ces tests trouvent tout leur intérêt si vous avez certains doutes ou si vous souhaitez un moyen simple pour déterminer votre date d'ovulation : ils sont précis et peuvent confirmer ou infirmer les résultats obtenus par d'autres méthodes.

Ils se font à domicile ou au bureau, sans prise de sang, avec quelques gouttes d'urines et le résultat est obtenu en moins de cinq minutes. Leur seul inconvénient est qu'ils sont onéreux : environ 300 F pour une boîte de 5 essais.

Leur utilisation est simple et aisée pour toutes les femmes, la seule contrainte est d'éviter de boire deux heures avant le test, sinon la substance sera trop diluée et risquera de ne pas être détectée. Ils ne sont pas influencés par le stress, l'alcool, les maladies ou la plupart des médicaments…

L'indication habituelle de ces tests est la difficulté à procréer parce que les cycles sont très irréguliers. Prenons l'exemple d'une femme qui a tracé ses courbes de température, établit ses tableaux de glaire durant quatre mois, dont l'ovulation survenait à un moment différent à chaque cycle : entre le 12e et 19e jour.

Sa démarche est la suivante : en se basant sur le cycle le plus court, elle achète une boîte de tests urinaires et testera au prochain cycle, à partir du 9e jour, une fois par jour jusqu'au jour où il se révélera positif, indiquant que l'ovulation aura lieu dans les heures qui suivent. Des rapports sexuels continus sur deux jours lui donneront toutes les chances d'être enceinte.

L'application de ces tests dans le choix du sexe de votre futur enfant sera presque identique.

▶ Si vous souhaitez avoir un garçon :

Vous pouvez utiliser ces tests dans les «cycles d'entraînements» pour bien connaître vos cycles, mais aussi dans les «cycles d'essais» pour être enceinte. Dans ces derniers cas, un test positif indiquera que l'ovulation aura lieu dans les heures qui suivent. Or, à ce moment-là, vos chances d'avoir un garçon sont les plus importantes.

▶ Si vous souhaitez avoir une fille :

Ces tests ne peuvent être utilisés que durant la période d'entraînement pour vous aider à bien prédire la date présumée de votre prochaine ovulation. Dans les cycles d'essais, vous ne pourrez pas compter sur ces tests. Pour avoir une fille, il faut arrêter les rapports sexuels plusieurs jours avant l'ovulation, or ces tests ne préviennent l'ovulation qu'au maximum 40 heures avant sa survenue quand c'est déjà trop tard.

Plus de détails pratiques seront donnés dans les chapitres suivants.

Enfin, sachez que les résultats de ces tests peuvent être ininterprétables car la quantité de LH peut s'élever, sans être suivie par une ovulation [14]. C'est notamment le cas en s'approchant de la ménopause.

LES MÉTHODES COMPLÉMENTAIRES

1. Le point de Mittelschmertz

Ce qui signifie « douleur de milieu du cycle » en allemand. En effet, au moment de l'ovulation, certaines femmes ont une légère sensation douloureuse à type d'élancement dans le bas du ventre, qui peut s'accompagner d'écoulement de quelques gouttes de sang par le vagin.

Cette manifestation ne concerne qu'une femme sur six. Cependant, beaucoup de femmes ignorant la signification de ce type de douleur la considèrent comme des « gaz dans le ventre ». Avec une meilleure connaissance et un peu plus d'attention, de multiples études ont démontré qu'une femme sur trois est capable de sentir le point de Mittelschmertz.

Les caractéristiques de ce signe sont très soumises aux variations (15,20) :

— Il n'est pas constant : chez certaines femmes il est toujours présent, chez d'autres il peut être absent dans certains cycles.

— Il précède l'ovulation de quelques heures à un jour ou deux.

— Plus l'ovulation s'approche, plus l'intensité augmente.

— Son intensité maximale coïncide avec l'ovulation et peut durer d'une demi-heure à quelques heures.

— Il disparaît complètement ou laisse un fond douloureux pendant 24 heures.

— Il peut survenir toujours du même côté, le plus souvent à droite, ou changer de côté alternativement.

— Dans la majorité des cas, ce point se situe dans la fosse iliaque (ou au centre un peu au-dessus du pubis).

Toute douleur du ventre ne doit pas être interprétée comme un signe d'ovulation, elle peut être une urgence. Il faut la replacer dans le contexte général : le type de la douleur, son intensité, son évolution, sa localisation et la période du cycle au cours de laquelle elle survient.

Bien qu'il soit placé dans ce chapitre, le point de Mittelschmertz ne constitue pas une méthode en soi, mais plutôt une information complémentaire qui peut confirmer d'autres résultats obtenus avec d'autres méthodes plus précises.

2. Le col de l'utérus

Reliant le vagin à l'utérus, il est situé à l'entrée de ce dernier. Il a la taille d'une phalange d'un doigt qui serait percé au milieu (2-3 cm de diamètre et 1,5 cm de longueur). Son rôle principal est de sécréter la glaire cervicale.

Avec un peu d'entraînement, l'autopalpation quotidienne du col de l'utérus par le doigt permet de percevoir les changements de position et de nature qui se produisent au fur et à mesure que l'on s'approche de l'ovulation [15].

En effet, à distance de l'ovulation, sa position est basse dans le pelvis et il peut être facilement atteint par le doigt. Il a une consistance ferme (comme le bout du menton ou le nez) et son orifice est fermé. Au fur et à mesure que l'on s'approche de l'ovulation, il se ramollit.

Au moment où elle survient, il est haut dans le pelvis, de consistance molle (comme le lobe de l'oreille ou la lèvre) et son orifice est ouvert et rempli de glaire. Après l'ovulation, il y a retour à l'état initial. Les changements commencent à apparaître 4 à 5 jours avant l'ovulation.

Bien que cette technique ne soit pas précise, elle fournit des informations qui peuvent compléter les résultats des autres méthodes.

3. L'échographie transabdominale

L'échographie est un excellent moyen pour suivre la croissance de l'ovule.

En effet, le follicule contenant le futur ovule fait saillie à la surface de l'ovaire et mesure entre 20 et 25 mm de diamètre à maturation. L'ovulation elle-même se traduit par une disparition de l'image bien limitée du follicule qui est remplacée par une zone aux contours flous (12).

Le principal inconvénient de cette méthode est son coût élevé. Mais rien ne vous empêche, si vous disposez des moyens nécessaires, ou si vous avez dans vos relations quelqu'un qui pratique l'échographie, de bénéficier d'une telle technologie pour déterminer votre date d'ovulation.

LES MÉTHODES CONTRAIGNANTES

1. Les hormones sanguines

Le dosage de certaines hormones dans le sang peut donner une indication précise sur la date de l'ovulation.

Parmi ces hormones, on peut doser l'estradiol, la LH et la progestérone (10). Cela nécessite plusieurs prises de sang et de nombreux déplacements dans un laboratoire d'analyse médicale. Ainsi cette méthode est difficile à suivre dans la pratique car elle reste contraignante, douloureuse et chère.

2. L'échographie-doppler transvaginale couleur

C'est une échographie qui se fait de l'intérieur du corps, à partir du vagin.

Au moment du pic de LH, les vaisseaux sanguins pénètrent les couches du follicule qui entourent l'ovule et deviennent visibles, indiquant que l'ovulation est proche (9). Simultanément, le follicule devient moins clair et plus échogénique. La vitesse de la circulation sanguine dans ces vaisseaux devient irrégulière. Une réduction de la taille du follicule et une vitesse maximale indiquent que l'ovulation a eu lieu.

Cette méthode est peu suivie dans la pratique car elle est contraignante et chère.

LES MÉTHODES ABANDONNÉES

1. La méthode du calcul

Cette méthode est peut-être la plus simple, mais aussi parmi les moins précises (2,12). Ne l'utilisez que si vous n'avez pas le temps d'appliquer d'autres méthodes plus fiables.

Il suffit de connaître la durée des cycles antérieurs (trois à six cycles) pour prévoir le jour de l'ovulation du cycle suivant. En effet, comme la durée de la 2e phase du cycle, entre l'ovulation et le premier jour des prochaines règles, est approximativement de 14 jours, il suffit de retrancher 14 jours de la durée moyenne du cycle pour obtenir le jour de l'ovulation. Une femme qui a un cycle de 26 jours aura son ovulation le 12e jour. Alors qu'une autre qui a des cycles de 32 jours aura son ovulation le 18e jour.

Il est évident qu'une telle technique n'est applicable que chez les femmes qui ont des cycles réguliers.

2. Les sécrétions

On entend par sécrétions aussi bien la glaire cervicale sécrétée par le col de l'utérus que les sécrétions vaginales sécrétées par le vagin, où tout se mélange. Cette méthode consiste à mesurer la quantité des sécrétions, par l'intermédiaire d'une sorte de petite seringue graduée qu'on introduit dans le vagin (39). On notera une augmentation progressive du volume des sécrétions quelques jours avant l'ovulation, pour atteindre un maximum la veille de celle-ci et chuter après, pour revenir à son niveau habituel. Une mesure par jour suffit à n'importe quel moment de la journée (à la même heure chaque jour), à distance d'un rapport sexuel (à condition de laisser s'écouler au moins 7 heures afin de ne pas aspirer le sperme qui fausserait les résultats). En moyenne, les variations vont de 0,05 ml comme niveau de base, jusqu'à un pic de 1 ml la veille de l'ovulation.

Cependant, cette technique est difficile à pratiquer, car les quantités sécrétées restent relativement faibles.

3. Les hormones urinaires

Bien que le dosage de certaines hormones dans les urines puisse refléter le fonctionnement des ovaires, il a été supplanté par leur dosage dans le sang, qui reste plus spécifique et plus précis [12].

Les méthodes naturelles pour avoir un garçon

DÉTERMINATION DE L'OVULATION ET DE LA DATE DES RAPPORTS SEXUELS

D'après les théories exposées dans un des chapitres précédents, **plus le coït est proche de l'ovulation, plus la probabilité de concevoir un garçon est grande,** car l'environnement devient de plus en plus favorable aux spermatozoïdes Y. En effet :

• Au moment de l'ovulation, la glaire cervicale étant abondante, le milieu vaginal devient très alcalin et les spermatozoïdes Y sont donc avantagés.

• Les spermatozoïdes Y, plus rapides que les spermatozoïdes X, prennent de l'avance et arrivent plus vite en contact avec l'ovule.

• Les spermatozoïdes Y, plus mobiles que les spermatozoïdes X, épuisent plus vite leurs réserves d'énergie ; si l'éjaculation est loin de l'ovulation, ils ne pourront pas survivre jusqu'à la survenue de celle-ci ; d'où l'importance que le rapport ait lieu aussi près que possible de l'ovulation pour permettre au plus grand nombre de spermatozoïdes Y d'atteindre l'ovule.

Comme nous l'avons expliqué, il vous faudra plusieurs cycles d'entraînement avant de pouvoir prédire votre date d'ovulation. Utilisez des préservatifs pendant cette période afin d'éviter d'être enceinte avant l'application des méthodes naturelles.

Selon que vos cycles sont réguliers ou ne le sont pas, vous vous retrouverez dans l'une des situations suivantes :

Cycles réguliers

Etant donné que vous avez des cycles réguliers, il vous est possible de prédire votre date d'ovulation aisément.

1. Vous avez opté pour la méthode de la «courbe de température» pour déterminer votre ovulation

Vous connaissez depuis toujours la régularité de vos cycles, mais pour en avoir le cœur net, vous faites quand même vos trois cycles d'entraînement. Le résultat est sans surprise et montre que vos cycles durent 27 jours et que l'ovulation survient le 14e jour de chaque cycle. Vous êtes maintenant convaincue qu'au 14e jour du cycle prochain aura lieu l'ovulation.

Ensuite, vous commencez la période des cycles d'essais en sachant qu'il faut que le coït ait lieu le plus proche possible de l'ovulation pour obtenir un garçon. Le cycle prochain, tout en prenant votre température, vous allez être très attentive à l'approche de la date présumée de votre ovulation. Vous chercherez à avoir des rapports sexuels entre le «jour présumé d'ovulation» (toute la journée) et le lendemain (matin), c'est-à-dire entre le 14e jour et le matin du 15e jour du cycle. Avant le 14e jour, vos chances d'avoir un garçon sont moins importantes. Et au-delà du 15e jour, l'ovule sera probablement éliminé et vos chances de grossesse deviennent minimes.

Notez que vous pouvez avoir des rapports les autres jours du cycle à condition, bien entendu, d'utiliser des préservatifs (pour les jours précédant l'ovulation).

2. Vous avez opté pour la méthode de la « glaire cervicale »

Vu que la méthode de la glaire est plus précise dans la détermination de l'ovulation, la démarche pour situer vos rapports sexuels dans le cycle pourra être légèrement différente.

Reprenons le même exemple, où vous avez fait trois cycles d'entraînement qui ont montré sans surprise que vos cycles durent 27 jours et que votre ovulation survient le 14e jour de chaque cycle. Comme vos cycles sont réguliers, vous êtes maintenant sûre qu'au 14e jour du cycle prochain aura lieu l'ovulation. Vous décidez alors de commencer vos cycles d'essais en sachant qu'il faut avoir le coït très près de l'ovulation pour obtenir un garçon. Le cycle prochain, vous redoublez d'attention à l'approche de la date présumée de votre ovulation et vous aurez le choix entre :

1. Une façon simple : vous essayerez d'avoir des rapports sexuels entre le « jour présumé de l'ovulation » (toute la journée) et le lendemain (matin), c'est-à-dire entre le 14e jour et le matin du 15e jour du cycle.

2. Une façon précise : vous testerez votre glaire tous les jours et vous aurez des rapports le jour où elle est maximale en quantité et en qualité, au moment du « pic de glaire » : elle est très abondante, transparente comme l'eau, très liquide, glissante et très élastique. Il est très important de faire des cycles d'entraînement qui vous permettront de bien pouvoir définir les caractères du « pic de glaire » et sa durée.

Vous devez commencer les rapports avant le changement brutal de la qualité de la glaire, qui indique que l'ovulation a déjà eu lieu. Mais dans le cas où votre pic de glaire dure plusieurs jours avant son changement de consistance, commencez les rapports dans les 24 dernières heures de ce pic (pour être le plus près de l'ovulation) et pendant 24 à 36 heures.

Dans notre exemple, vous attendez le pic de glaire les 13e-14e jours, d'après vos cycles d'entraînement, et vous savez qu'il ne dure qu'un seul jour. Ainsi, vos rapports « s'étaleront » sur les 24 à 36 heures qui suivent le moment où vous aurez l'impression que la glaire a atteint son « pic ». Entre les 14e-15e jours, la glaire doit changer progressivement de consistance pour devenir épaisse, trouble, moins élastique et disparaître ensuite. Nous vous rappelons que rien ne vous empêche d'avoir des rapports à d'autres moments du cycle à condition d'utiliser des préservatifs.

3. Vous avez opté pour la méthode des « tests urinaires »

Faites un test quotidien à partir de 2-3 jours avant la date présumée de votre ovulation, jusqu'à l'obtention d'un test positif. Etant donné que l'ovulation a lieu moins de 40 heures après le pic de LH (indiqué par la positivité de votre test), laissez passer une dizaine d'heures, entre le moment où votre test devient positif et le début des rapports sexuels afin de vous situer dans la période la plus propice pour concevoir un garçon. Ensuite, « étalez » vos rapports sur les 24 à 36 heures qui vont suivre.

Dans notre exemple, si vous faites le test vers midi : les 11e et 12e jours, les tests seront négatifs, alors que le 13e jour à midi il se révélera positif. Par suite, les rapports sexuels recommandés se situeront entre le soir du 13e jour et le matin du 15e jour, l'idéal étant le matin du 14e jour. Vous pourrez avoir des rapports les autres jours du cycle à condition d'utiliser un préservatif.

Remarque : Quelle que soit la méthode que vous adoptez, si votre ovulation oscille sur deux jours très proches, certains cycles elle survient le 14e jour et pour d'autres le 15e jour par exemple, vous pouvez considérer vos cycles comme étant plutôt réguliers. Il est préférable alors d'axer votre stratégie sur la date de l'ovulation survenue le plus tôt. Dans cet exemple, vous estimerez que la prochaine ovulation aura lieu le 14e jour du prochain cycle.

Cycles irréguliers

Vous n'avez pas de chance car depuis un certain temps ou depuis toujours vos cycles sont très irréguliers. Les durées de vos cycles d'essais le confirment : 25, 34, 27, 24 et 32 jours avec des ovulations au 12e, 20e, 13e, 11e et 19e jour. Vous êtes dans l'incapacité de deviner la prochaine date d'ovulation. Ainsi la courbe de température ne pourra pas vous servir dans les cycles d'essais. Alors, quelles démarches faudra-t-il suivre le cycle prochain ?

1. Vous avez opté pour la méthode de la « glaire cervicale »

Comme vos cycles sont irréguliers, vous ne pouvez prédire le jour où aura lieu « le pic de glaire ». Vos cycles d'entraînement ont montré, par exemple, qu'il pouvait survenir entre les 11e et 18e jours.

Vous passez ensuite aux cycles d'essais afin d'essayer d'être enceinte, tout en sachant qu'il faut avoir un coït le plus proche possible de l'ovulation pour obtenir un garçon. Au prochain cycle, vous allez être vigilante à partir du 10e jour (correspondant à la veille du « pic de glaire le plus précoce » de vos cycles d'entraînement), et vous testerez votre glaire quotidiennement jusqu'au moment où vous constaterez que sa qualité et sa quantité sont maximales : très abondante, transparente comme l'eau, très liquide, glissante et très élastique. Il n'y a pas de doute possible : ce sera le jour du pic de glaire. Afin de bien définir la nature et la durée du « pic de glaire », il est très important de faire plusieurs cycles d'entraînement.

N'oubliez pas de commencer les rapports avant le changement brutal de sa qualité qui indique que l'ovulation a déjà eu lieu.

Vous « étalerez » vos rapports sur les 24 à 36 heures qui suivent le moment où vous aurez l'impression que la glaire a atteint son « pic ». Le lendemain de ce jour, la glaire doit changer progressivement de consistance pour devenir épaisse, trouble ou nuageuse, moins élastique et disparaître le surlendemain.

Par ailleurs, si votre pic de glaire dure plusieurs jours avant que celle-ci change de consistance, commencez les rapports dans les 24 dernières heures de ce pic (pour être le plus proche de l'ovulation) et « étalez-les » sur 24 à 36 heures. Vous pouvez avoir des rapports les autres jours du cycle à condition d'utiliser des préservatifs.

2. Vous avez opté pour la méthode des « tests urinaires »

Si vous êtes impatiente, ou si tout simplement vous ne vous sentez pas en mesure de suivre la méthode de la glaire, votre secours viendra des tests urinaires.

En effet, par exemple si votre ovulation survient entre les 12e et 19e jours, vous testerez vos urines au prochain cycle à partir du 9ᵉ jour (correspondant à la date d'ovulation la plus précoce possible à laquelle il faudra soustraire 3 jours), de façon quotidienne, jusqu'au moment où il se révélera positif. Etant donné que l'ovulation aura lieu 40 heures après le pic de LH (indiqué par votre test positif), et afin de vous situer dans la période la plus propice pour concevoir un garçon, vous laisserez passer une dizaine d'heures entre le moment où votre test devient positif et le début de vos rapports sexuels. Ensuite, « étalez » vos rapports sur les 24 à 36 heures qui suivent.

Comme application pratique, prenons un exemple où votre test quotidien (en fin d'après-midi) reste négatif jusqu'au 16ᵉ jour et devient positif au 17ᵉ jour du cycle. En conséquence, les rapports sexuels recommandés se situeront entre le matin du 18ᵉ jour et le début de soirée du 19ᵉ jour, l'idéal étant en fin de soirée du 18ᵉ jour. Vous pourrez avoir des rapports les autres jours du cycle à condition d'utiliser des préservatifs.

FRÉQUENCE DES RAPPORTS SEXUELS

Le temps de régénération du sperme étant de moins de 48 heures (18), nous recommandons aux hommes **une abstinence sexuelle pendant les 3 à 4 jours** qui précéderont les rapports destinés à rendre la femme enceinte et à favoriser la conception des garçons. Ainsi, cette abstinence permettra :

• D'augmenter le nombre de spermatozoïdes dans le sperme éjaculé et plus particulièrement d'élever la proportion des spermatozoïdes Y par rapport aux X.

• D'augmenter le volume du sperme : comme cela a

été vu précédemment, le sperme a un pouvoir « anti-acidité du vagin » qui protège les spermatozoïdes, et encore plus les Y qui sont les plus fragiles. Plus ce volume est important et plus les spermatozoïdes Y sont protégés.

• De favoriser « une éjaculation tonique ». En effet, après une abstinence de quelques jours, vu que la quantité de sperme est importante, le phénomène de projection à distance pourra être plus accentué. Cela permettra aux spermatozoïdes d'être projetés directement sur le col de l'utérus et d'éviter le parcours du vagin qui leur est inhospitalier. Comme les spermatozoïdes Y sont les plus vigoureux, ils se réfugieront dans la glaire plus facilement et seront les premiers à traverser l'utérus et la trompe et à arriver au contact de l'ovule.

ORGASME FÉMININ

La volupté est due à la contraction involontaire (et tétanisante) d'un muscle invisible appelé le **périnée**. Ce muscle est comme un hamac suspendu entre le pubis et l'anus. En passant, il « entoure » le vagin et l'orifice urinaire.

Outre sa fonction sexuelle, il retient les urines et soutient les organes du ventre comme un plancher. Pour le sentir en dehors de l'orgasme, il faut le contracter en faisant semblant de retenir ses urines.

Tout d'abord, nous vous encourageons à **le serrer régulièrement** durant vos rapports sexuels (lors de vos préliminaires amoureux). En effet, sa contraction augmente l'excitation, ainsi que l'humidification vaginale, et aide les femmes à atteindre l'orgasme qui est vivement recommandé si vous désirez un garçon. Cependant, faites-le avec modération, car ses contractions augmentent également le plaisir de l'homme l'amenant peut-être à jouir avant vous, ce qui n'est pas souhaitable dans votre situation.

Il faut savoir aussi que ses contractions permettent de le muscler. Cela vous sera très utile au moment de l'accouchement, même s'il est encore trop tôt pour en parler, car sa dilatation permettra un passage facile du nouveau-né.

D'autre part, nous vous conseillons d'avoir **plusieurs orgasmes avant l'homme** pour de multiples raisons :

• L'excitation sexuelle augmente l'alcalinité du vagin et rend ce milieu plus accueillant, en particulier pour les spermatozoïdes Y.

• L'élévation de l'utérus dans le ventre (qui bascule légèrement en arrière) expose d'avantage son entrée (« le col ») au jet de l'éjaculation.

• Le col de l'utérus s'entrouvre au moment de l'orgasme permettant, quand l'homme jouira, la projection du sperme à l'intérieur du col rempli de glaire, évitant aux spermatozoïdes de parcourir le vagin, hostile par son acidité aux spermatozoïdes Y.

• Il est connu que l'orgasme peut provoquer l'ovulation en période propice [2]. Si le coït et l'ovulation se produisent en même temps, vous serez dans les meilleures conditions pour avoir un garçon.

Néanmoins, tentez de ne pas jouir après l'homme car votre orgasme s'accompagne de contractions vaginales et utérines qui ne sont pas les bienvenues à ce moment-là. En effet :

— Les contractions vaginales favoriseront le mélange du sperme et de la glaire, aidant les spermatozoïdes Y mais aussi les X, à la pénétrer.

— Les contractions utérines permettront l'aspiration du sperme à l'intérieur aidant les deux types de spermatozoïdes à grimper vers les trompes.

S'il ne vous est pas possible d'avoir plus d'un orgasme, faites-le coïncider avec celui de l'homme, après une longue période de préliminaires.

POSITION ET PÉNÉTRATION

Le but recherché est de faciliter le plus possible le transport des spermatozoïdes Y dans la glaire et de leur éviter un trop grand parcours qui risquerait de leur nuire.

Par conséquent, nous préconisons des rapports sexuels effectués avec une **pénétration par derrière** (position dite en « levrette »), qui permettra le dépôt du sperme sur le col de l'utérus où se trouve la glaire, voire à l'intérieur même puisque le col peut être entrouvert, évitant ainsi que les spermatozoïdes se perdent tout autour. Ce dépôt évitera également aux spermatozoïdes le « supplice » de l'acidité vaginale et permettra, s'il ne dure pas longtemps, un mélange bref du sperme et de la glaire, favorisant le passage des spermatozoïdes Y qui sont plus rapides et plus vigoureux.

Pour les mêmes raisons, une **pénétration profonde** et maximale au moment de l'éjaculation est souhaitable.

APRÈS LE COÏT

Afin que le mélange entre le sperme et la glaire soit bref, nous vous incitons à **vous lever immédiatement** après le rapport. Cela évitera au sperme de rester en contact avec la glaire trop longtemps, ce qui laisserait suffisamment de temps aux spermatozoïdes X (plus lents) pour la pénétrer. En effet, en position debout, le sperme s'écoulera hors du vagin, et les spermatozoïdes Y plus rapides et plus vigoureux seront eux déjà dans la glaire.

Les méthodes naturelles pour avoir une fille

DÉTERMINATION DE L'OVULATION
ET DE LA DATE DES RAPPORTS SEXUELS

D'après les théories exposées dans les chapitres précédents, **plus le coït a lieu à distance de l'ovulation (vers 4 jours avant), plus la probabilité de concevoir une fille est grande.** Et plus on s'approche de l'ovulation, plus les chances de concevoir un garçon sont grandes.

Ceci s'explique par les deux faits suivants :

• le milieu est moins alcalin à distance de l'ovulation, donc moins défavorable aux spermatozoïdes X ;

• les spermatozoïdes Y ne pourront pas survivre jusqu'à l'ovulation car ils sont plus fragiles et ils épuisent leur énergie plus rapidement ; par conséquent, le nombre de spermatozoïdes X deviendra supérieur à celui des Y, au moment de l'ovulation.

Comme nous l'avons expliqué, il faut plusieurs cycles d'entraînement avant de pouvoir prédire avec exactitude la date de l'ovulation. Et n'oubliez pas d'utiliser des préservatifs pendant cette période afin d'éviter d'être enceinte avant l'application des méthodes naturelles.

Selon la régularité de vos cycles, vous pourrez vous retrouver dans un des deux cas de figure suivants :

Cycles réguliers

Tous les moyens de détermination de l'ovulation ne pourront pas vous prévenir 4 jours avant la survenue de celle-ci ; or c'est effectivement dans cet intervalle du cycle que le moment est le plus propice pour concevoir une fille. Par conséquent, la démarche sera très différente de celle suivie pour avoir un garçon.

Vous pouvez opter pour la méthode de la courbe de température, celle de la glaire cervicale ou celle des tests urinaires pour déterminer votre ovulation durant les cycles d'entraînement. Ainsi, supposons qu'à la suite de cette période d'entraînement de trois cycles vous vous êtes rendu compte que vos cycles étaient réguliers durant 27 jours et que votre ovulation survenait vers le 14e jour de chaque cycle. Vous êtes maintenant certaine que c'est au 14e jour qu'aura lieu l'ovulation du prochain cycle.

Vous passez alors aux cycles d'essais pour tenter d'avoir une fille. En réalité, vous vous retrouvez confrontée à deux contraintes. D'une part, vous savez qu'il faut avoir un coït le plus loin possible de l'ovulation, mais pas trop loin non plus, sinon aucune grossesse ne sera possible (les spermatozoïdes ne pouvant pas survivre plus de quatre jours en général). D'autre part, vous êtes obligée de cesser les rapports au minimum deux jours avant la date présumée d'ovulation, sinon vous rentrez dans la phase où les chances d'avoir un garçon sont plus importantes.

En pratique, dans l'exemple cité, il faut avoir des rapports jusqu'au 10e jour du cycle (précédant de 4 jours votre ovulation) et arrêter le lendemain matin. Néanmoins, vous pouvez continuer à avoir des rapports les autres jours du cycle à condition d'utiliser des préservatifs jusqu'au 17e jour inclus (ou 3 jours après votre date d'ovulation), car la phase du cycle autour de l'ovulation favorise plutôt les garçons.

Si, au bout de trois cycles, vous n'êtes toujours pas enceinte, il est probable que vos rapports sont trop éloignés de l'ovulation et que les spermatozoïdes n'arrivent pas à survivre jusqu'à l'arrivée de l'ovule. A ce moment-là, prolongez vos rapports jusqu'au 11e jour du cycle prochain (correspondant à 3 jours avant l'ovulation) au lieu du 10e jour du cycle.

Dans les deux cas, vous pourrez ensuite confirmer l'exactitude de votre hypothèse, en prenant votre température, en observant votre glaire ou en faisant un test urinaire les jours suivants. En effet, si vos calculs ont été bons et que l'ovulation a bien eu lieu 4 ou 3 jours après les rapports, la température doit commencer à monter au 14e jour, pour passer au-delà de 37° quelque temps après, et le rester ensuite jusqu'aux prochaines règles. Le 14e jour, la glaire cervicale qui est à son « pic » commence à changer de consistance pour devenir épaisse, trouble et disparaît le 15e jour. Quant au test urinaire, il devient positif entre le 12e et 13e jour.

Remarque : Si votre ovulation oscille sur deux jours très proches, lors de certains cycles elle se produit le 13e jour et pour d'autres le 14e jour par exemple, vous pouvez considérer vos cycles comme étant réguliers. Et il sera préférable d'établir votre stratégie sur la date d'ovulation qui est survenue le plus tôt. Dans cet exemple, vous pourrez estimer que les ovulations des cycles à venir auront lieu le 13e jour, et le prochain cycle vous cesserez vos rapports le 9e jour dans le but de concevoir une fille.

Cycles irréguliers

Malheureusement, les méthodes naturelles ne peuvent pas être utilisées par les femmes ayant des cycles très irréguliers et désirant une fille.

En effet, pour augmenter les chances d'avoir une fille, il faut connaître la date de l'ovulation afin de pouvoir cesser les rapports sexuels au moins 48 heures avant celle-ci. Les tests urinaires, qui peuvent être utilisés dans la «méthode garçon», ne peuvent pas vous servir car ils préviennent que l'ovulation aura lieu dans les heures qui suivent, or vous êtes déjà dans la période où les chances de concevoir un garçon sont plus importantes.

Ainsi, nous vous suggérons de suivre les autres méthodes décrites dans ce livre, et en particulier la méthode diététique, qui sera la plus adaptée à votre cas.

FRÉQUENCE DES RAPPORTS SEXUELS

Nous n'encourageons pas l'abstinence, mais au contraire d'avoir **des rapports sexuels fréquents** jusqu'au dernier jour autorisé, correspondant à 4 ou 3 jours avant la date présumée de l'ovulation. Le temps de «régénération» du sperme étant de 48 heures (18), nous vous proposons un rythme d'au moins un rapport tous les deux jours.

Les effets attendus seront :

• De diminuer le nombre total de spermatozoïdes dans le sperme, en avantageant les spermatozoïdes X.

• De diminuer le volume de sperme : comme on l'a vu

précédemment, le sperme a un pouvoir «anti-acidité du vagin» qui protège les spermatozoïdes et notamment les Y, les plus fragiles. Plus le volume du sperme est faible, plus les spermatozoïdes seront exposés à l'acidité vaginale, qui leur est nocive. Mais les spermatozoïdes X seront plus résistants que les spermatozoïdes Y.

• D'empêcher «une éjaculation tonique». En effet, plus les rapports sont fréquents, plus le volume du sperme est faible et le phénomène de projection du sperme à distance pourrait être atténué, voire disparaître car le sperme sort passivement. Par conséquent, le transport des spermatozoïdes vers la glaire n'est pas facilité et les spermatozoïdes devront traverser le vagin. Dans ce cas, les spermatozoïdes X se trouveront plus avantagés par rapport aux spermatozoïdes Y pour deux raisons :

— les spermatozoïdes Y épuisent leur énergie plus rapidement que les spermatozoïdes X qui vont prendre plus de temps pour cette ascension ;
— l'acidité vaginale aura plus d'effet négatif sur les spermatozoïdes Y que sur les spermatozoïdes X.

ORGASME FÉMININ

Nous avons le regret de recommander aux femmes d'avoir des rapports sexuels sans préliminaires et de ne **pas avoir d'orgasme** ni avant, ni après celui de l'homme, pour de multiples raisons :

• L'orgasme augmente l'alcalinité vaginale, ce qui rend le milieu plus accueillant aux spermatozoïdes, donc particulièrement aux Y, ce qui n'est pas souhaitable ici.

• L'utérus ne s'élèvera pas et son entrée (le col) ne sera pas basculée vers l'avant, pour s'exposer ainsi à l'éjaculation.

• Le col reste fermé en l'absence d'orgasme, obligeant les spermatozoïdes à « baigner » dans le vagin ; or les spermatozoïdes X, relativement moins sensibles à l'acidité qui y règne, seront plus nombreux à résister et à gagner la glaire.

• Il est connu que l'orgasme peut provoquer l'ovulation en période propice [2]. Si le coït et l'ovulation se produisent en même temps, vous serez alors dans les meilleures conditions pour concevoir un garçon, et non une fille.

POSITION ET PÉNÉTRATION

Le but recherché est de rendre le plus difficile possible le transport des spermatozoïdes vers la glaire afin que les spermatozoïdes Y s'épuisent plus vite que les spermatozoïdes X : en augmentant par exemple le trajet, les obstacles...

C'est pourquoi nous prônons des rapports sexuels dans une **position de face à face**, avec la femme au-dessous de l'homme (position dite du « missionnaire »), car elle ne permet pas un dépôt du sperme sur le col de l'utérus. Les spermatozoïdes vont se perdre autour du col.

Par ailleurs, une **pénétration superficielle** est souhaitable au moment de l'éjaculation. Les spermatozoïdes seront déposés à l'entrée du vagin, dans un milieu acide, qui leur est défavorable. Mais cet environnement affecte à un moindre degré les spermatozoïdes X qui, mieux préparés à résister à l'acidité vaginale, seront plus nombreux que les Y à atteindre et pénétrer la glaire.

APRÈS LE COÏT

Nous vous incitons à **rester allongée** sur le dos une demi-heure à une heure après le rapport sexuel avant de vous lever. Ce délai permettra au sperme de rester au maximum en contact avec la glaire et de laisser suffisamment de temps aux spermatozoïdes X, qui sont plus lents, pour la pénétrer.

6

LES MÉTHODES MÉDICALEMENT ASSISTÉES

—

À la différence des méthodes naturelles et diététiques, les méthodes médicalement assistées nécessitent une prise en charge médicale.

Si elles sont en grand nombre, certaines n'en sont encore qu'au stade expérimental, alors que d'autres sont utilisées depuis plusieurs dizaines d'années.

Ces méthodes se divisent en deux catégories :

*• celles applicables avant la conception, appelées « **Présélection du Sexe Médicalement Assistée** » (PSMA) : faites aussi bien pour des raisons médicales (aux familles ayant une maladie génétique liée au sexe) que pour convenance personnelle (afin d'avoir un garçon ou une fille) ;*

*• celles applicables après la conception, appelées « **Sélection***

du Sexe Médicalement Assistée» (SSMA) : *exploitées uniquement dans le cadre de maladies génétiques liées au sexe.*

Dans cette partie, un chapitre sera entièrement consacré à la méthode d'Ericsson (PSMA), qui est appliquée dans plus d'une soixantaine de cliniques dans le monde. Pour le rendre pratique, nous l'avons présenté sous forme de questions et de réponses, portant sur tous les aspects de cette méthode : son principe, ses avantages, ses inconvénients, à qui elle s'adresse, le déroulement des opérations dans ces cliniques une fois la demande formulée, son taux de réussite, le coût du traitement, les adresses de quelques cliniques, etc.

La présélection du sexe

INTRODUCTION

Dans les recherches menées depuis des décennies sur la maîtrise du choix du sexe, on a toujours tenté de séparer les spermatozoïdes en deux catégories, les porteurs d'un chromosome X d'un côté et les porteurs d'un chromosome Y de l'autre. Ce schéma était « théorique » car il était impossible de trier les 250 millions de spermatozoïdes d'une seule éjaculation avec un succès total et constituait la première étape de toute méthode de PSMA. En pratique, on pouvait s'estimer satisfait si on parvenait à obtenir deux échantillons où chacun avait une prédominance d'un type de spermatozoïdes. S'ensuivait alors la deuxième étape qui était l'insémination artificielle où l'on déposait le sperme « enrichi en spermatozoïdes X ou Y » dans l'utérus.

Pour réussir à les séparer, les chercheurs tentèrent d'exploiter les différences qui existaient entre le spermatozoïde X et le spermatozoïde Y. Cette différence, aussi minime soit-elle, pouvait résider dans la masse, la taille, la mobilité, les charges électriques, ou le contenu en matériel génétique, etc.

D'autre part, un des grands problèmes de toutes ces techniques était de vérifier qu'une séparation et un enrichissement avaient bien eu lieu. Il existe différentes techniques qui permettent de le faire. Elles sont plus ou moins récentes et plus ou moins fiables, chacune ayant ses avantages et ses inconvénients. Nous vous éviterons une description trop scientifique, qui vous serait absolument inutile.

Par contre, il en existe une qui se distingue des autres par sa simplicité, il s'agit de celle qui consiste à noter le sexe de chaque progéniture après chaque insémination avec du sperme soi-disant enrichi. L'inconvénient majeur de cette méthode est qu'elle est lente : il faut attendre plusieurs semaines, voire plusieurs mois selon les espèces, avant de connaître le sexe des progénitures. Or, pour que les résultats soient significatifs, il fallait un nombre important de progénitures. Mais dans l'espèce humaine, la progéniture n'est généralement faite que d'un seul bébé à la fois. Par conséquent, il a fallu du temps et beaucoup de participantes, résumant ainsi toute la difficulté que les chercheurs ont eue pour confirmer leurs résultats.

Dans l'état actuel des connaissances scientifiques, les différentes méthodes de PSMA peuvent être classées en trois catégories :

• Celles dont l'efficacité a été prouvée par d'importantes publications scientifiques et de nombreuses expériences cliniques.

• Celles qui sont controversées, vu leur efficacité incertaine, car le nombre de publications et d'expériences cliniques n'a pas été suffisamment important pour permettre de trancher.

• Celles qui sont inefficaces et qui ont été abandonnées par la majorité du corps médical.

LES MÉTHODES EFFICACES

1. La méthode d'Ericsson

Mise au point par un chercheur américain, Ronald Ericsson (15), cette méthode est basée sur la caractéristique principale du spermatozoïde Y qui est sa vélocité supérieure à celle du spermatozoïde X, et sur sa plus grande rapidité à traverser un tube rempli de couches de sérum albumine de concentrations différentes.

Comme c'est la méthode la plus connue et la plus utilisée dans le monde parmi les méthodes de PSMA, un chapitre lui a été consacré.

2. La cytométrie de flux

Elle a été mise au point par une équipe américaine du département agricole et elle est considérée comme l'une des méthodes les plus prometteuses pour le futur.

En pratique, après le recueil du sperme, on procède au marquage des spermatozoïdes avec une « substance fluorescente » qui se fixe sur le matériel génétique. Ensuite, on fait passer chaque spermatozoïde devant une sorte de « cellule photoélectrique », d'où sort un faisceau de lumière et on mesure la fluorescence émise par chacun. Comme le spermatozoïde X contient un peu plus de matériel génétique, sa fluorescence est plus importante que celle du spermatozoïde Y, et par conséquent il est tout à fait possible de connaître l'identité de chaque spermatozoïde. Ainsi, il suffit de dévier le spermatozoïde testé, vers la droite ou vers la gauche, et d'obtenir une fraction riche en spermatozoïdes X d'un côté et une autre riche en spermatozoïdes Y de l'autre.

Dans chaque analyse et traitement de sperme, il arrive qu'on ne puisse pas identifier certains spermatozoïdes (on ne sait pas s'ils sont porteurs du chromosome X ou du Y). Par précaution, ces spermatozoïdes ne seront pas déviés vers l'un des deux échantillons et seront éliminés. Cette perte a toujours été importante et constituait, avec la lenteur du tri, l'inconvénient majeur de la technique. En effet, le nombre de spermatozoïdes recueillis n'étant pas important après un tel traitement, le taux de succès de ces inséminations était faible. Les chercheurs ont donc été obligés de faire des fécondations in vitro car elles nécessitent moins de spermatozoïdes que les inséminations. Ce qui oblige à recueillir les ovules pour que les fécondations se fassent en laboratoire. Mais cette nouvelle version a augmenté davantage le coût du traitement en rendant la procédure plus complexe.

Des inséminations artificielles réalisées chez les lapins (30), les porcs (29) et les bovins (10) ont montré un franc succès. La première tentative de séparation du sperme humain fut réussie d'après ses auteurs (28) : la fraction enrichie en spermatozoïdes X en contenait près de 82 % ; alors que celle enrichie en spermatozoïdes Y en contenait près de 75 %. Plus récemment, une première grossesse humaine obtenue avec du sperme traité a permis la naissance d'une fille normale (34).

Reste à signaler que la substance fluorescente ou le faisceau de lumière utilisé pour mettre en évidence cette fluorescence pouvaient avoir un effet toxique sur les spermatozoïdes (4). D'où la raison peut-être d'une forte mortalité des embryons, retrouvée dans les études citées plus haut chez les lapins, les porcs et les bovins (10, 29, 30). Malgré ces doutes, plusieurs centaines d'animaux sont déjà nés grâce à cette technique et n'ont montré aucune anomalie morphologique ou fonctionnelle (27).

De nouveaux progrès dans l'avenir permettront certainement d'obtenir une concentration plus élevée de spermatozoïdes et ceci plus rapidement qu'à l'heure actuelle (42). On pourra se passer de faire des fécondations in vitro qui sont complexes et coûteuses, où il faut : procéder à une stimulation des ovaires, recueillir les ovules, recueillir et traiter le sperme, féconder les ovules en laboratoire, introduire deux à trois embryons dans l'utérus et congeler les autres embryons. On pourra alors revenir aux inséminations artificielles, où il suffira de : recueillir et traiter le sperme, et introduire les spermatozoïdes dans l'utérus. Celles-ci diminueront considérablement le coût de la procédure et rendraient la technique d'application aussi simple que celle de la méthode d'Ericsson.

LES MÉTHODES CONTROVERSÉES

1. La méthode Percoll

Mise au point par une équipe japonaise pour l'enrichissement du sperme en spermatozoïdes X (25, 32). Comme d'autres méthodes, cette séparation est basée sur le principe de la dilution associée à la centrifugation dans un milieu particulier : le Percoll.

Ce milieu de séparation est fréquemment utilisé dans les centres de stérilité pour réaliser des FIV (fécondations in vitro) et des inséminations artificielles, en France comme à l'étranger, afin de «nettoyer» le sperme, en dehors de tout contexte de choix du sexe.

L'application clinique pour le choix du sexe a permis d'obtenir six filles pour six grossesses dans une étude ancienne (25), et plus récemment 76 % de réussite chez quelques dizaines de cas (3). D'autres chercheurs ont retrouvé un enrichissement en spermatozoïdes X, mais à un degré insuffisant pour être utilisé dans la présélection du sexe (52). Il nous semble qu'un nombre plus important de participantes serait nécessaire pour juger réellement l'efficacité de cette méthode.

Malgré tout, cette technique est pratiquée dans quelques cliniques pour favoriser la conception de filles, notamment dans la London Gender Clinic, qui tente d'accroître son efficacité.

2. La méthode du Sephadex

Cette méthode a été mise au point par une équipe belge. Le principe, simple, est le suivant : faire passer le sperme à travers une colonne de gel pour recueillir au bout du tube un sperme enrichi en spermatozoïdes X (40, 46). La méthode favorise ainsi la conception de filles.

Dans les expériences cliniques, on a pu noter :

— 48 filles sur 48 naissances, ce qui semblait très prometteur, mais on a omis de préciser qu'il y a eu dix fausses couches dont on ne connaissait pas le sexe des fœtus, et 127 femmes inséminées qui ont été perdues de vue (1).

— Dans une autre étude cumulant plusieurs expériences, on a obtenu un total de 39 filles sur 52 accouchements (9).

— Alors que dans l'étude qui portait sur 53 femmes inséminées avec du sperme préalablement enrichi par cette technique, et chez lesquelles on avait induit l'ovulation, on a obtenu 25 conceptions dont 20 étaient des filles (80 %) (17).

Cependant, d'autres études plus larges seraient nécessaires afin de confirmer ou d'infirmer ces premières conclusions.

3. La méthode du Swim-up

Il existe deux versions, qui diffèrent très peu l'une de l'autre. Sur le principe de dilution-centrifugation, cette technique permet d'obtenir une fraction enrichie en spermatozoïdes mobiles. C'est pourquoi elle est utilisable entre autres dans les inséminations artificielles et les fécondations in vitro, en France comme à l'étranger, même en dehors d'un contexte d'enrichissement du sperme et de présélection du sexe (21).

Par ailleurs, selon certaines expériences, elle permet également d'enrichir le sperme en spermatozoïdes Y et de favoriser la naissance de garçons (8). Les expériences cliniques portèrent sur 59 conceptions au total, et obtinrent un taux de succès de 75 %.

En attendant que soient faites d'autres études plus importantes, nous vous recommandons de vous fier plutôt à d'autres méthodes. D'autant plus que certaines études n'ont pas retrouvé les mêmes résultats (21) : aucun enrichissement du sperme et, sur 350 naissances après insémination avec du sperme traité suivant cette technique, on a obtenu presque autant de filles que de garçons.

LES MÉTHODES INEFFICACES

1. La centrifugation

Le spermatozoïde X contient 3 % de plus de matériel génétique, ce qui le rend un peu plus lourd. Il est également plus gros et plus large, d'où une différence de masse existant entre les deux types de spermatozoïdes.

Alors, on a pensé qu'il suffirait de centrifuger le sperme, pour que les spermatozoïdes les plus lourds précipitent au fond du tube. Mais la pratique en fut tout autre. En effet, cette différence de masse semble insuffisante pour réaliser la séparation. Et quand on augmente la force de centrifugation, on finit par endommager les spermatozoïdes, si bien que le sperme est enrichi peut-être, mais devient non fécond [19].

2. Les charges électriques

Les tentatives pour exploiter une éventuelle différence de charges électriques entre les spermatozoïdes X et Y n'ont jamais permis de réaliser une séparation des deux populations [19].

3. La méthode immunologique

Avec la découverte de l'existence d'une molécule spécifique au niveau de la tête des spermatozoïdes Y, l'idée germa de recueillir le sperme et de le traiter par des anticorps dirigés contre cette molécule. Les spermatozoïdes Y seraient alors détruits et on obtiendrait un sperme enrichi en spermatozoïdes X qui pourrait être ensuite inséminé. En pratique, le succès fut faible [6] et la technique a fini par être abandonnée.

La sélection du sexe

INTRODUCTION

Les méthodes de SSMA réunissent un ensemble de techniques qui ne sont pratiquées qu'après la conception de l'embryon. La plupart permettent à la fois de détecter certains désordres génétiques et de connaître le sexe de l'embryon ou du fœtus.

Dans la plupart des pays, notamment dans tous les pays occidentaux, ces méthodes ne sont utilisables que chez certaines personnes :

• chez les couples qui ont dans leur entourage familial des cas connus de maladies génétiques liées au sexe ou qui ont déjà eu un enfant malade ;

• chez les femmes approchant de la quarantaine qui ont un risque élevé d'avoir un enfant handicapé ;

• si une anomalie morphologique est soupçonnée à l'échographie.

Ce chapitre est plus spécialement destiné à ces couples. Il est certain que ces méthodes ne seront probablement jamais autorisées pour des motifs non médicaux, dans la plupart des pays. Si, dans la famille de l'un des deux membres du couple, il existe une maladie génétique liée au sexe, nous vous conseillons de demander une consultation de conseil génétique dans un centre hospitalier où vous obtiendrez toutes les informations indispensables à connaître avant de concevoir un enfant et où vous recevrez un soutien psychologique nécessaire dans de pareilles situations.

LES DÉSORDRES GÉNÉTIQUES

Les désordres génétiques que nous pouvons rencontrer peuvent être classés en deux catégories [18, 44] :

1. Les anomalies chromosomiques

Elles correspondent à une erreur du nombre de chromosomes, qui survient durant la fabrication des cellules sexuelles (ovule ou spermatozoïde) chez l'un des futurs parents (généralement la mère). En effet, après la fécondation d'une cellule sexuelle anormale et d'une cellule sexuelle normale, au lieu d'avoir 46 chromosomes, on en retrouve 45 ou 47 dans les cellules de l'embryon. Il arrive parfois qu'une grande partie du chromosome manque ou soit en plus de deux exemplaires, alors que le nombre total de chromosomes reste de 46. Dans la majorité des cas, ces embryons anormaux ne survivent pas et sont à l'origine de fausses couches survenant durant le premier trimestre de la grossesse. Cependant, l'une des anomalies chromosomiques les plus fréquentes, et qui n'est pas létale, est la trisomie 21, ou le mongolisme, qui touche près d'un fœtus sur 700, chez lequel on retrouve en général trois exemplaires du chromosome n° 21 au lieu de deux. Sachez enfin que le risque d'anomalies chromosomiques varie selon l'âge de la mère : passant de 1/1800 entre 20 et 30 ans à 1/50 au-delà de 40 ans [41].

2. Les maladies génétiques

Elles sont dues à des lésions plus ou moins importantes touchant la structure des chromosomes et provoquant une modification des codes qui déterminent nos caractères héréditaires (appelés « gènes »).

Quand cette atteinte touche les chromosomes autosomiques (voir « Génétique et détermination du sexe »), on parle de **maladies génétiques autosomiques.** Comme c'est le cas de « la mucoviscidose », qui est caractérisée par une affection grave des poumons et du tube digestif.

Lorsque la lésion touche les chromosomes sexuels, on parle de **maladies génétiques liées au sexe** :

— si c'est le chromosome X qui est atteint, on dira que cette maladie est **liée au X** ; c'est le cas par exemple de l'hémophilie ou de la myopathie de Duchenne ;

— et si c'est une atteinte du chromosome Y, on dira que la maladie est **liée au Y** (maladies plus rares).

Deux situations sont envisageables :

— Pour certaines maladies, il suffit pour l'enfant d'avoir le « gène défectueux » du père *ou* de la mère pour qu'il développe cette maladie ; on parle de **maladies génétiques dominantes,** comme « la polykystose rénale » qui est caractérisée par une affection grave des reins.

— Pour d'autres maladies, il est impératif de posséder le « gène défectueux » du père *et* de la mère pour que l'enfant développe cette maladie (sauf dans les maladies génétiques liées au sexe, voir l'exemple plus loin) ; on parle alors de **maladies génétiques récessives,** comme par exemple « la drépanocytose » qui est une grave anémie (diminution du nombre des globules rouges).

Ces lésions génétiques, qui empêchent une lecture correcte des informations codées sur les chromosomes (par le gène), conduiront à l'absence de la substance normalement fabriquée ou à la fabrication d'une « mauvaise substance ». Mais, dans les deux cas, il se produira des perturbations plus ou moins graves selon le gène touché, au niveau de la cellule, de l'organe ou même du corps tout entier.

Pour confirmer ou infirmer l'existence d'une maladie génétique, il suffit de rechercher la présence d'une lésion dans une région du chromosome, ou l'absence de la substance normalement fabriquée par cette région du chromosome (gène).

Malheureusement, cette situation n'est pas toujours possible car, pour la majorité des maladies génétiques, on ignore encore leur cause : on ne sait ni où la lésion se situe, ni la substance qui est absente et qui est à l'origine de la maladie en présence.

En résumé, on peut classer les maladies génétiques liées au sexe en deux catégories : celles dont les causes sont parfaitement connues et celles dont on ignore encore les causes. Ainsi, vous verrez, par la suite, que suivant la catégorie de la maladie, la démarche médicale ne sera pas la même.

LES MALADIES GÉNÉTIQUES RÉCESSIVES LIÉES AU « X »

Parmi les anomalies et les maladies fréquentes liées au sexe, celles liées au chromosome X sont les plus nombreuses. Voici quelques exemples (2,18) :

— **Le daltonisme** : anomalie bénigne caractérisée par la suppression de la perception de certaines couleurs, le rouge et le vert en général.

— **L'hémophilie** : caractérisée par un grand retard de la coagulation du sang avec une prédisposition aux hémorragies graves nécessitant l'apport de produits sanguins ; sa fréquence est située entre 1 garçon sur 5 000 et 1 garçon sur 10 000 ; il existe en France près de 4 000 hémophiles.

— **La myopathie de Duchenne** : caractérisée par la dégénérescence et l'atrophie musculaire progressive et pour laquelle il n'existe aucun traitement efficace ; sa fréquence est de l'ordre de 1 garçon sur 5 000 ; il existe en France près de 2 000 enfants atteints par cette maladie.

Prenons l'exemple pratique d'une fille qui n'aurait reçu qu'un seul exemplaire du gène défectueux de l'un de ses parents dans le cadre d'une maladie génétique récessive liée au X, l'autre parent lui aurait donné un exemplaire normal (étant donné que toute fille possède deux chromosomes X). Elle ne développera pas la maladie, car elle pourra compenser ce gène défectueux par celui qui est normal. Elle est considérée comme une « porteuse (du gène défectueux) saine (car non malade) ». Théoriquement, la moitié de ses ovules auront leur chromosome X qui sera porteur du gène défectueux, et l'autre moitié le chromosome X qui sera porteur du gène normal. D'un autre côté, chez un homme sain, la moitié de ses spermatozoïdes ont le chromosome X qui est porteur du gène normal et l'autre moitié ont le chromosome Y qui ne porte pas ce gène.

En envisageant de faire des enfants ensemble, ce qui constitue le cas habituel de transmission des maladies génétiques liées au X, ce couple aura 4 possibilités :

• Soit un ovule ayant le chromosome X porteur du gène normal rencontre un spermatozoïde ayant le chromosome X porteur du gène normal : le couple aura une fille normale.

• Soit un ovule ayant le chromosome X porteur du gène défectueux rencontre un spermatozoïde ayant le chromosome X porteur du gène normal : le couple aura une fille «porteuse saine» comme sa mère car elle compensera son gène défectueux par celui qui est normal.

• Soit un ovule ayant le chromosome X porteur du gène normal rencontre un spermatozoïde ayant le chromosome Y qui ne porte pas ce gène : le couple aura un garçon normal.

• Soit un ovule ayant le chromosome X porteur du gène défectueux rencontre un spermatozoïde ayant le chromosome Y qui ne porte pas ce gène : le couple aura un garçon malade car il ne pourra pas compenser étant donné que le seul gène qu'il a est défectueux.

En définitive, ce couple ne court aucun risque d'avoir une fille malade alors qu'il a une probabilité d'une chance sur deux d'avoir un garçon malade.

QUE SE PASSE-T-IL ACTUELLEMENT ?

Deux cas de figure se présentent selon que la cause est connue ou ne l'est pas. A quelques mois de grossesse (au moins deux mois et demi), on procède à un prélèvement fœtal (la méthode sera décrite plus loin).

Si la cause est connue

On cherche à détecter si le fœtus a reçu le gène responsable de la maladie génétique ou pas. En cas de réponse positive et en l'absence de tout espoir de traitement, un avortement thérapeutique est envisagé avec le couple. Dans le cas contraire, la grossesse est poursuivie.

Si la cause est inconnue

Il est impossible de savoir si le fœtus est atteint ou non. L'unique alternative possible est basée sur la probabilité de transmission de la maladie selon le sexe. En effet, on va tenter de connaître le sexe du fœtus. En l'absence de toute possibilité de traitement, il est conseillé au couple d'avorter si le fœtus est masculin car il y a 1 chance sur 2 pour qu'il soit malade. Une grossesse avec un fœtus féminin sera seulement recommandée, car il n'y aura pas de risque d'avoir une fille malade : le couple a 1 chance sur 2 d'avoir une fille saine et 1 chance sur 2 qu'elle soit porteuse du gène défectueux sans jamais développer la maladie pour autant. On parle ici d'avortement sélectif, car on conseille à la femme d'avorter uniquement les fœtus masculins.

Dans les avortements thérapeutiques ou sélectifs, l'avortement intervient vers la fin du premier trimestre ou au deuxième trimestre de la grossesse, et place souvent le couple devant un choix malaisé. Des considérations d'ordre moral et religieux entrent en jeu, et rendent la décision d'avorter plus difficile à prendre. D'où l'importance des progrès réalisés en matière de prélèvement embryonnaire et de fécondation in vitro d'une part, et d'autre part dans les méthodes de présélection du sexe avant la conception. Dorénavant, tout se passera avant la nidation de l'œuf fécondé dans l'utérus ou même avant sa conception…

QUE SE PASSERA-T-IL DANS L'AVENIR ?

On associera probablement deux techniques, la fécondation in vitro et le prélèvement embryonnaire.

En général, on procède dans un premier temps à une stimulation de l'ovaire, afin d'avoir plusieurs ovules qui seront recueillis par ponction avant leur libération. Ensuite, ils seront mis en présence du sperme du mari et les fécondations (dites « in vitro ») se feront en laboratoire.

Chaque ovule fécondé donnera un embryon. On laissera les embryons se développer quelques jours en laboratoire et, lorsqu'ils seront formés chacun d'une dizaine de cellules, on prélèvera une cellule de chaque embryon afin de la tester.

Ainsi, à la place du prélèvement fœtal, on aura procédé à un prélèvement embryonnaire (voir plus loin). La différence entre les deux est que le premier se fait plusieurs semaines après la conception (au 3ᵉ mois) alors que le deuxième se fait très précocement, seulement quelques heures après la fécondation (au 3ᵉ jour).

Deux cas de figure se présentent selon que la cause est connue ou pas :

Si la cause est connue

On cherche à détecter si l'embryon a reçu le gène responsable de la maladie génétique, auquel cas il est écarté et on examine les autres afin de trouver un embryon sain et de l'introduire dans l'utérus (c'est une des raisons pour lesquelles on prélève plusieurs ovules afin d'obtenir plusieurs embryons).

Si la cause est inconnue

N'ayant pas la possibilité de savoir si l'embryon est atteint ou pas, l'unique alternative est basée sur la probabilité de la transmission de la maladie selon le sexe. En pratique, on cherche à connaître le sexe des embryons. Tous les embryons masculins sont écartés car il existe 1 chance sur 2 pour qu'ils soient malades. Seuls les embryons féminins sont introduits dans l'utérus, car aucun ne donnera d'enfant malade : la moitié des filles seront saines et l'autre moitié seront porteuses du gène défectueux sans développer pour autant la maladie.

Cette procédure permet aux couples de commencer une grossesse tout en sachant qu'ils ne risquent pas de donner la vie à un enfant malade, et plusieurs dizaines de filles ont pu naître ainsi dans le monde.

LES MÉTHODES DE SÉLECTION DU SEXE MÉDICALEMENT ASSISTÉES

1. L'échographie

Depuis son introduction en obstétrique vers la fin des années soixante, l'échographie est l'examen le plus utilisé pour suivre la grossesse et la croissance du fœtus. Elle permet également de connaître son sexe, dans le cadre d'une maladie génétique liée au sexe.

Cependant, son utilisation dans ce but est limitée pour deux raisons :

— elle ne donne le sexe du fœtus d'une manière fiable qu'à un stade bien avancé de la grossesse ;
— elle n'est pas aussi fiable que les prélèvements au stade fœtal ou embryonnaire.

2. Le prélèvement embryonnaire

Le défi relevé par l'équipe britannique à l'origine de cette technique fut de pouvoir détecter de plus en plus tôt les maladies génétiques, évitant pour certains couples à risque le recours toujours pénible à l'avortement thérapeutique ou sélectif au 3e ou 4e mois de la grossesse.

Néanmoins, dans le cadre des maladies génétiques liées au chromosome X, dont les causes ne sont pas encore connues, il est important, comme nous l'avons précisé, de connaître le sexe de l'embryon. Aujourd'hui, le prélèvement embryonnaire le permet parfaitement.

Dans un cycle normal et naturel, un seul ovule parvient à maturité à chaque fois, plus rarement deux (ainsi naissent les faux jumeaux). Or, dans toutes les techniques médicalement assistées où les fécondations doivent se faire en laboratoire, le taux de succès (obtenir une grossesse) n'est pas très élevé. Alors, pour éviter de répéter les opérations plusieurs fois, on stimule les ovaires par des hormones naturelles, afin que plusieurs ovules parviennent à maturité en même temps. Ensuite, et dans la majorité des cas, on prélève ces ovules, par ponction avec une aiguille qu'on introduit à travers le vagin ou le ventre, opération qui se fait sous un contrôle échographique (pour une plus grande précision) et après l'administration de médicaments provoquant le sommeil et calmant la douleur. D'autre part, les spermatozoïdes sont recueillis après masturbation (ou, s'il y a un obstacle à leur sortie, par ponction comme pour les ovules). Et les fécondations se font en laboratoire.

Malheureusement, il ne suffit pas de mettre en contact les ovules et les spermatozoïdes pour que la totalité des ovules soient fécondés.

Cependant, chaque ovule fécondé donne un embryon. On laisse l'embryon se développer quelques jours en laboratoire, et lorsqu'il est formé d'une dizaine de cellules, on prélève une de ces cellules pour la tester afin de connaître le sexe. Si l'embryon correspond au sexe recommandé, il sera introduit dans l'utérus ; sinon il est écarté et on en testera un autre.

De nombreuses expériences dans le monde animal (11) et chez les humains (24) ont été nécessaires afin de s'assurer que cette méthode soit parfaitement inoffensive et ne crée pas de perturbation dans le développement futur de l'embryon testé.

Ainsi, plusieurs dizaines de couples risquant de transmettre certaines maladies génétiques à leurs enfants ont pu profiter de cette nouvelle technique, pratiquée entre autres à Bruxelles, Barcelone, Londres et New York (22, 23, 50).

Par ailleurs, des associations de plusieurs méthodes sont de plus en plus pratiquées. Dans une expérience assez récente (34), chez un couple qui risquait d'avoir un enfant atteint d'une maladie génétique liée au sexe (la femme avait trois frères décédés de cette maladie, et avait été obligée d'avorter à deux reprises car elle était enceinte à chaque fois d'un fœtus mâle atteint par la maladie), on a suivi la procédure suivante :

— recueil du sperme et traitement par cytométrie de flux : afin de sélectionner une fraction enrichie en spermatozoïdes X (à plus de 80 %) ;

— induction de l'ovulation et prélèvement des ovules ;

— fécondation in vitro : comme le sperme est enrichi en spermatozoïdes X, la probabilité d'obtenir un embryon femelle est plus grande que celle d'obtenir un embryon mâle ;

— une fois que la fécondation a eu lieu, on a prélevé une cellule afin de connaître le sexe des embryons suivant la méthode décrite ci-dessus (en effet, 22 des 24 embryons étaient des embryons femelles) ;

— enfin on a transféré trois embryons femelles, dont un s'est développé.

Deux éléments freinent pour l'instant l'application plus large de cette technique aux familles qui pourraient transmettre des maladies génétiques graves à leurs enfants :

— D'une part, la sélection du sexe n'est pas fiable à 100 %, il subsiste un risque d'erreur : un embryon testé comme femelle peut se révéler mâle ultérieurement. On tente d'améliorer l'efficacité de cette détection. Mais, pour le moment, par précaution, on procède à un prélèvement fœtal quelques mois plus tard, afin de s'assurer que le fœtus est du sexe recommandé. Si ce n'est pas le cas, un avortement sélectif est conseillé au couple.

— D'autre part, on ne dispose pas d'un recul suffisant : on ne dénombre au total que quelques dizaines de naissances.

Sachez encore que les lois françaises sur la bioéthique votées en 1994 admettent le principe de cette technique, mais que son usage doit demeurer exceptionnel. Toutefois, les « couples à risque » ne peuvent toujours pas en bénéficier car les décrets d'application ne sont pas encore publiés.

3. Le prélèvement fœtal

Plus connu sous le nom de « diagnostic anténatal », le prélèvement fœtal est la méthode la plus utilisée actuellement dans la sélection du sexe, en France et dans le monde.

Il désigne plusieurs techniques qui se font toujours sous contrôle échographique afin d'éviter de blesser le fœtus. La ponction peut se faire à travers l'abdomen ou le vagin. Selon le terme de la grossesse, on peut pratiquer :

• **un prélèvement des villosités choriales** (à partir de la 8e semaine) : qui consiste à prélever quelques cellules du futur placenta (lien d'implantation du fœtus sur l'utérus) ;

• **une amniocentèse** (à partir de la 14e semaine) : qui consiste à prélever du liquide amniotique (le liquide entourant le fœtus). Ce liquide contient des cellules du fœtus qui desquament en permanence ;

• **un prélèvement du sang fœtal** (à partir de la 18e semaine) : qui consiste à prélever du sang du fœtus à travers le cordon ombilical.

Dans tous les cas, le risque de fausses couches par rapport à une grossesse sans prélèvement fœtal est augmenté (se situant entre 0,5 % et 3,5 % selon la méthode). L'analyse des cellules prélevées permet de détecter les maladies génétiques connues et de déterminer le sexe du fœtus : s'il correspond au sexe recommandé, la grossesse se poursuivra normalement ; sinon elle pourra être interrompue par avortement à la demande du couple. Autorisée uniquement pour des raisons médicales dans la grande majorité des pays (dans les maladies génétiques liées au sexe), ce procédé est malheureusement fréquemment utilisé en Inde pour convenance personnelle.

4. La détection maternelle de cellules fœtales

Plusieurs voies sont explorées afin de trouver des moyens plus simples que les précédents, pour connaître le sexe du fœtus à partir des premières semaines de grossesse. Parmi les expériences encourageantes, on note celles qui cherchent à identifier des cellules fœtales dans le sang maternel (35, 47) ou dans les sécrétions féminines (20).

Après une simple prise de sang ou un prélèvement vaginal, dans un laboratoire ou au cabinet du médecin, on cherchera la présence de cellules provenant d'un embryon mâle (comportant le chromosome Y). Si la détection est positive, cela indiquera qu'il s'agit d'un garçon, sinon… que c'est une fille.

L'intérêt majeur de telles techniques est qu'elles présentent très peu de risque pour la mère et pour le fœtus, et par conséquent si les premiers résultats se confirment, elles pourront être largement utilisées dans le futur.

5. La taille des embryons

Il est connu depuis longtemps que, pour un même temps de croissance, les embryons mâles se développent plus que les embryons femelles.

Ceci étant, cette différence qu'on a notée entre les deux embryons à un stade avancé de la grossesse se retrouve même au tout début de la vie, lorsque l'embryon n'est composé que de quelques cellules. Il semblerait que le chromosome Y est impliqué dans cette plus grande croissance.

En effet, on a remarqué que 50 heures après une fécondation in vitro, les embryons qui sont composés de plus de quatre cellules sont en majorité (80 %) des embryons mâles (on a su qu'ils étaient mâles après la naissance) (39). D'autres chercheurs retrouvent près de 90 % de filles quand on a placé dans l'utérus les embryons les plus lents (« morphologiquement meilleurs »), et 90 % de garçons quand on a introduit les embryons les plus rapides (« fonctionnellement meilleurs ») (48).

L'application qui peut en découler est très simple : après une fécondation in vitro, si on souhaite avoir un garçon, il convient de choisir les embryons qui se développent et se divisent le plus vite ; et si on souhaite une fille, il est préférable de choisir ceux qui se développent et se divisent plus lentement.

Il est évident que des études plus importantes seront nécessaires avant l'extension d'une telle application, qui sera cependant limitée par le fait qu'il faut toujours pratiquer des fécondations in vitro complexes et chères.

La méthode d'Ericsson

Cette méthode de séparation des spermatozoïdes a été réalisée par un chercheur américain, le docteur Ronald Ericsson, qui l'a brevetée afin de protéger sa découverte et contrôler son utilisation. C'est la technique la plus connue et la plus répandue dans le monde. Son auteur est détenteur de plusieurs brevets dans le domaine de la fertilité. Il a publié plusieurs dizaines d'articles scientifiques et a accordé plus de mille entrevues pour différents médias à travers le monde.

QUEL EN EST LE PRINCIPE ?

Comme toutes les méthodes de PSMA, la technique d'Ericsson pour choisir le sexe de son enfant comporte deux volets : un premier où se passent le recueil et le traitement du sperme, suivi ensuite par une insémination artificielle de la femme avec du « sperme enrichi ».

Sans rentrer dans les détails, sachez que le principe du traitement du sperme repose sur trois phénomènes : la dilution, la centrifugation et surtout la filtration dans un tube contenant du sérum albumine à des concentrations différentes. Ce traitement permet d'obtenir, au bout de quelques heures, une fraction de sperme contenant jusqu'à 85 % de spermatozoïdes Y [15].

Néanmoins, selon le niveau et le degré du traitement,

on distingue quatre versions, basées toutes sur le même principe, mais répondant à des impératifs cliniques différents (16) :

— **Version 1** : sera choisie dans le traitement de la stérilité masculine et non pour la présélection du sexe.

— **Version 2** : sera choisie quand le couple désire une fille (un traitement hormonal sera prescrit à la femme).

— **Version 3** : sera choisie quand le couple désire un garçon.

— **Version 3 modifiée** : sera choisie quand le couple désire un garçon et quand le sperme de l'homme est riche en spermatozoïdes.

QUELS SONT SES AVANTAGES ?

Les avantages de cette technique sont nombreux :

— Le sperme recueilli peut contenir jusqu'à 85 % de spermatozoïdes Y selon la version.

— Les spermatozoïdes sélectionnés ont une vitesse de progression plus élevée que ceux du sperme d'origine.

— Le pourcentage de spermatozoïdes mobiles est considérablement augmenté, en d'autres termes la technique sélectionne les spermatozoïdes les plus mobiles.

— Le sperme est débarrassé des spermatozoïdes non ou peu mobiles et de toutes les impuretés qu'il pouvait contenir ; les spermatozoïdes atteints primitivement d'anomalies morphologiques sont éliminés à 90 % au moins (ceci ne garantit pas que ceux qui restent n'ont pas d'anomalies génétiques) (12).

QUELS SONT SES INCONVÉNIENTS ?

La récupération des spermatozoïdes n'étant pas importante (12), les chances de grossesse peuvent être considérées comme inférieures à celles du départ. Mais on sait aussi qu'elles sont améliorées quand la proportion de spermatozoïdes mobiles et normaux est importante (49). Même si la fraction récupérée n'est que de plusieurs dizaines de millions de spermatozoïdes, elle présente l'avantage d'être débarrassée des spermatozoïdes peu mobiles ou de ceux qui ont des formes anormales, et de contenir jusqu'à 95 % de spermatozoïdes hautement mobiles (14).

Pour avoir une idée, vous trouverez ci-dessous quelques chiffres tirés d'une étude rétrospective portant sur 560 échantillons testés avant et après un enrichissement par la technique d'Ericsson (37) :

	Nombre total de spermatozoïdes (millions)	Nombre de spermatozoïdes mobiles	
		(millions)	(%)
Sperme initial	368	242	66
Fraction finale	17	16	94

QUELLES ONT ÉTÉ LES CONFIRMATIONS DE SON SUCCÈS ?

On peut classer les confirmations pour les travaux d'Ericsson en trois catégories :

1. La reproduction de ses travaux par d'autres chercheurs (12, 38, 40).

2. Les expériences avec d'autres milieux de séparation que le sérum albumine. La plus grande mobilité des spermatozoïdes Y, à l'origine de la technique d'Ericsson, est retrouvée dans de nombreux travaux (7,31,43).

3. Le sexe des progénitures obtenues après insémination artificielle avec du «sperme enrichi» par cette technique, aussi bien :

— dans l'espèce animale avec près de 75 % de réussite (53) ;

— que dans l'espèce humaine où la première expérience remonte à 1979 (12) (voir question sur le taux de succès).

Cependant, certaines expériences n'ont pas pu arriver à des résultats aussi éloquents (51). Mais, en analysant de plus près les motifs de leur échec, on s'est rendu compte qu'il y a eu beaucoup d'écarts par rapport à la technique d'origine : le matériel utilisé était parfois différent, le temps de passage des spermatozoïdes dans le tube de sérum albumine était plus long qu'il ne devait l'être, ou la température ambiante de l'expérience était trop élevée... Il est évident que ces éloignements conduisent inévitablement à des résultats qui, en aucun cas, ne peuvent être comparés avec ceux obtenus en suivant scrupuleusement les versions initiales.

OÙ EST-ELLE APPLIQUÉE ?

La méthode d'Ericsson est une technique scientifique brevetée. Son utilisation par autrui nécessite un accord préalable de Gametrics Limited, la firme américaine qui détient le brevet. Il existe dans le monde plusieurs dizaines de centres d'inséminations qui ont la licence d'utilisation, et qui pratiquent cette méthode quelle que soit la raison des couples : pour convenance personnelle ou pour des raisons médicales. La majorité des centres sont aux Etats-Unis et quelques-uns en Europe. Il n'en existe pour l'instant aucun en France.

La première clinique européenne à ouvrir ses portes était la « London Gender Clinic » en Angleterre (36), et la dernière fut celle des Pays-Bas, la « Stichting Gender Preselection » (45). Inutile de vous décrire les vagues de protestations qu'ont soulevées leur ouverture. Les détracteurs de tout genre se réfugiaient derrière « l'éthique » pour demander à tous les médecins de ne pas coopérer avec ces cliniques, et réclamer leur fermeture pure et simple. Après avoir échoué dans leur demande, la pression fut déplacée sur les autorités médicales afin d'accentuer les contrôles.

Bien entendu, ces cliniques n'ont pas eu besoin de ces pressions pour suivre des règles strictes de bonne pratique médicale et éthique, car il en va de leur réussite. En effet, la plupart, tout au moins celles d'Europe, posent quelques conditions aux couples avant d'accepter leur demande :

• il faut être mariés ou avoir une relation stable depuis au moins trois ans ;
• avoir au moins un enfant (prouvé par un certificat) ;

• désirer un enfant du sexe opposé à celui qu'on a déjà ;
• s'engager à ne pas avorter si le sexe désiré n'est pas obtenu.

Avec toutes ces précautions, nous ne comprenons pas pourquoi l'ouverture d'une clinique qui se fixe une déontologie et des limites raisonnables, puisse encore soulever des vagues de protestations. Nous reviendrons longuement dans le chapitre suivant sur l'éthique et les conséquences d'une application large du choix du sexe avant la conception par tous ceux qui le désirent, quelle que soit la méthode employée.

À QUI S'ADRESSE-T-ELLE ?

Cette méthode s'adresse particulièrement à quatre catégories de couples :

1. Aux couples où l'homme a un problème de fertilité :

En débarrassant le sperme des « impuretés » et des spermatozoïdes de forme anormale, et en sélectionnant ceux qui sont les plus mobiles, les chances de concevoir sont plus importantes qu'au départ.

2. Aux couples qui désirent avoir un garçon :

Par l'enrichissement du sperme en spermatozoïdes Y, les chances de concevoir un garçon sont considérablement augmentées.

3. Aux couples qui désirent avoir une fille :

Le traitement du sperme selon une version « légère », associé à un traitement hormonal de la femme, font que les chances de concevoir une fille sont considérablement augmentées.

4. Aux couples qui ont exclusivement des filles et désirent un garçon :

En effet, on a remarqué que les couples ayant uniquement des filles ont plus de chances d'avoir encore une fille à leur prochaine grossesse (5, 26).

Ce phénomène s'explique par les différences qui existent entre le sperme de ces hommes et celui d'un homme qui a autant de garçons que de filles (12). En effet, leur sperme contient un pourcentage de spermatozoïdes Y sensiblement inférieur à la population générale. Le pourcentage de spermatozoïdes mobiles est également inférieur, et le pourcentage de spermatozoïdes anormaux est légèrement supérieur, favorisant ainsi la conception de filles.

La méthode d'Ericsson permet de réaliser un déséquilibre en faveur des spermatozoïdes Y (elle permet aussi de sélectionner les spermatozoïdes les plus mobiles, et débarrasse le sperme des spermatozoïdes anormaux). Ainsi, les différences qui existent entre la population générale et la population qui n'engendre que des filles ont tendance à diminuer après un tel enrichissement.

Enfin, dans une étude menée avec une centaine de personnes (13) n'ayant que des filles et désirant un garçon, l'insémination après enrichissement a permis d'atteindre des taux de réussite de 73 % et 86 % (les participantes ont été réparties en deux groupes, chacun ayant bénéficié d'une version différente de la méthode d'Ericsson).

PEUT-ON AVOIR UNE FILLE ?

Bien qu'au départ la méthode d'Ericsson soit destinée uniquement à favoriser la naissance de garçons, son nouveau protocole a permis d'étendre le champ d'action aux deux sexes.

Comme nous l'avons indiqué précédemment, le protocole pour avoir une fille se divise en 2 étapes :

— **Chez l'homme**, on procède à un traitement du sperme : selon une version de la méthode d'Ericsson qui favorise l'élimination des cellules mortes et augmente le nombre de spermatozoïdes mobiles.

— **Chez la femme**, on procède à une induction de l'ovulation : en donnant un médicament appelé «Clomid» pendant quelques jours. Ce médicament est normalement donné aux femmes stériles qui n'ont pas d'ovulation car il stimule les ovules immatures à prendre le chemin de la maturité, les amenant à l'ovulation.

L'association de ces deux procédés a pour effet de favoriser la naissance des filles sans que le mécanisme d'action soit connu.

Jusqu'en avril 96, plus de 72 % des 400 couples qui ont eu recours aux cliniques licenciées afin d'avoir une fille ont été satisfaits (16). S'ils n'avaient pas tenté leur chance et avaient laissé faire le hasard de la nature, ils ne seraient que 48,5 %.

Par ailleurs, il est important de savoir que cette stimulation des ovaires peut provoquer plusieurs ovulations en même temps, la femme se retrouvant enceinte de plus d'un embryon après l'insémination. En effet, 31 couples sur les 400 répertoriés (environ 8 %) se sont retrouvés avec des jumeaux où 29 d'entre eux (94 %) ont eu au moins une fille :

— 17 couples ont eu des jumelles (deux filles) : alors qu'ils ne souhaitaient qu'une fille, ils en ont eu deux ;

— 12 couples ont eu des jumeaux mixtes (un garçon et une fille) : on ne peut pas faire plus équilibré, un enfant de chaque sexe en une seule grossesse.

En général, il s'agit de fausses jumelles ou de faux jumeaux car ce sont deux ovules séparés qui ont été fécondés par deux spermatozoïdes différents.

Enfin, sachez qu'avant la prise du Clomid, le médecin s'assurera :

— que vous n'êtes pas enceinte,
— que vous n'avez pas auparavant une affection du foie,
— et que vous n'avez pas de kystes aux ovaires.

Il pourra infirmer ses doutes respectivement par un test sanguin de grossesse, un bilan hépatique ou une échographie ovarienne.

Si vous répondez à ces conditions, il vous prescrira le Clomid à raison de 1 comprimé par jour du 5e au 9e jour du cycle. Comme avec tout médicament, il peut arriver que le Clomid soit à l'origine d'effets indésirables, allant de maux de tête et de nausées jusqu'aux douleurs de l'abdomen et des troubles de la vision. D'où la nécessité que cette prise se fasse sous une surveillance médicale afin d'éviter que les ovaires ne réagissent excessivement. Néanmoins, ces manifestations régressent en quelques jours ou semaines après l'arrêt du traitement. Il est tout de même préférable d'alterner un cycle de traitement et un cycle sans traitement, pour permettre aux ovaires de se reposer.

Par contre, si le test de grossesse se révèle positif, il est bien sûr trop tard pour recourir à cette méthode. D'autre part, s'il existe une anomalie au niveau du foie ou des ovaires, il conviendra d'éviter la méthode d'Ericsson. Ce n'est pas pour autant que les portes de ces cliniques vous sont fermées, car il existe une autre méthode favorisant la conception des filles et qui ne nécessite pas la prise de Clomid. Il s'agit de la méthode controversée nommée Percoll dont on a déjà parlé. Elle est appliquée dans certaines cliniques, notamment dans la London Gender Clinic, la procédure étant à peu près similaire.

COMBIEN D'ENFANTS SONT-ILS NÉS AVEC CETTE MÉTHODE ? QUELLES SONT LES CHANCES D'AVOIR UN ENFANT DU SEXE DÉSIRÉ ?

Jusqu'en avril 96, plus de 1 750 enfants sont nés dans ces centres, après insémination selon l'une ou l'autre version de la méthode d'Ericsson (16). Plus de 1 350 couples désiraient un garçon et 400 couples désiraient une fille. Le taux de réussite est compris entre 70 et 75 %, dans les deux groupes.

EST-CE QU'IL EXISTE
DES CONDITIONS PARTICULIÈRES
POUR ÊTRE ACCEPTÉS ?

La plupart de ces cliniques acceptent tous les couples qu'ils viennent pour des raisons médicales ou pour convenance personnelle, à l'exception de la « Stichting Gender Preselection » aux Pays-Bas, qui n'accepte que ceux de la deuxième catégorie (54).

La majorité des centres aux Etats-Unis ne posent aucune condition pour l'acceptation des couples.

Cependant, il n'en est pas de même en Europe. En effet, la « London Gender Clinic » et la « Stichting Gender Preselection » se sont fixé dès leur création un code de déontologie, qui les conduit à accepter uniquement les couples qui remplissent les conditions suivantes (54) :

• sont mariés ou ont une relation stable depuis au moins trois ans ;
• ont au moins un enfant (prouvé par un certificat) ;
• désirent un enfant du sexe opposé à celui qu'ils ont déjà ;
• s'engagent par écrit à ne pas avorter si le sexe désiré n'est pas obtenu.

EST-CE QU'IL Y A UNE LISTE D'ATTENTE ?

En général, il n'existe aucune liste de ce genre. Une première consultation déterminera si vous n'avez pas de contre-indications particulières pour conduire une grossesse et durant laquelle vous aurez toutes les explications sur le déroulement des opérations.

Si vous souhaitez un garçon, un traitement peut être commencé immédiatement après la consultation médicale, à condition que vos courbes thermiques, vos tests urinaires ou toute autre méthode de détermination de l'ovulation des trois derniers cycles indiquent que vous êtes proche de celle-ci. En effet, comme l'insémination artificielle est faite par rapport à ce repère, il est vivement recommandé de s'adresser à ces cliniques après avoir tenté de déterminer la date d'ovulation des trois derniers mois ; la prédiction de la date d'ovulation du cycle de l'insémination est faite sur vos analyses et sur les tests urinaires en général (voir chapitre ovulation).

Si vous souhaitez une fille par la méthode d'Ericsson, il faut prévoir en plus une induction de l'ovulation, nécessitant la prise d'un médicament appelé Clomid entre le 5e et le 9e jour du cycle. Avant cette prise médicamenteuse, un test de grossesse, une échographie des ovaires et éventuellement un bilan hépatique peuvent être réalisés. Ainsi, il est nécessaire de disposer d'un peu plus de temps avant de procéder à l'insémination, afin de réaliser cet (ces) examen(s) et de mettre en route une induction de l'ovulation.

Dans les deux cas de figure, que vous désiriez un garçon ou une fille, un contact préalable avec les médecins de ces cliniques est indispensable. Par courrier ou par téléphone, il peut se faire par vous-même ou par votre médecin traitant, permettant alors de planifier le déroulement des opérations. Si l'insémination ne peut se faire que dans ces cliniques, peuvent être réalisés avant d'y rentrer, en étroite collaboration avec la clinique choisie : les courbes de température, les tests de la glaire cervicale, les tests urinaires, les examens médicaux, la prise du Clomid.

Sachez encore que les médecins de la « Stichting Gender Preselection » aux Pays-Bas respectent une période de huit jours entre la première consultation et le début du traitement, pour permettre aux couples de bien réfléchir avant de s'engager dans le choix du sexe de leur enfant.

QUELLES PRÉCAUTIONS PRENDRE ?

En premier lieu, faites contrôler votre immunité vis-à-vis de la rubéole au cours d'une visite médicale. En effet, cette infection virale, fréquente dans l'enfance, est bénigne à tous les âges sauf chez la femme enceinte, car elle fait courir au fœtus de nombreux risques dont celui de naître avec des malformations. Or, un vaccin existe et peut permettre à la femme n'ayant jamais contracté la rubéole de s'immuniser avant d'être enceinte. Il y a peu de risques que vous ne soyez pas protégée, comme le sont la grande majorité des femmes en France, soit parce que vous avez eu la rubéole, soit parce que vous avez été vaccinée. Cette vaccination aurait pu avoir lieu :

— durant l'enfance, à la puberté ou à l'adolescence ;
— lors d'une visite médicale avant la prise d'une pilule contraceptive ;
— lors d'un bilan prénuptial ;
— ou lors des suites de couches après un bilan prénatal de votre première grossesse, ayant montré que vous n'étiez pas immunisée.

Si c'est votre cas, arrêtez les moyens contraceptifs (pilule, spermicide ou stérilet) au moins deux mois avant de vous adresser à ces cliniques, et laissez votre corps retrouver son rythme habituel. En attendant le moment de l'insémination, utilisez des préservatifs lors de vos rapports sexuels durant les périodes fertiles du cycle, afin d'éviter de tomber enceinte avant l'application de la méthode d'Ericsson.

Néanmoins, si vous n'êtes pas immunisée ou si vous avez des doutes, la vaccination s'impose. Elle ne comporte qu'une seule injection et l'immunité qu'elle procure vous protège pour au moins vingt ans. Sachez qu'elle ne pourra être réalisée que si vous n'êtes pas enceinte au moment de l'injection (une analyse de sang prescrite par votre médecin pourra le confirmer). Il est également recommandé d'éviter de commencer une grossesse dans les deux mois qui suivent cette vaccination. D'où l'importance d'utiliser un moyen contraceptif sûr, comme la pilule. Si vous êtes déjà sous pilule, continuez votre contraception pendant les deux mois qui suivront votre vaccination.

Certaines grossesses dites «à risque» nécessitent une étroite surveillance médicale. Elles concernent des femmes très jeunes ou âgées, de petite taille, obèses, aux antécédents gynéco-obstétriques nombreux, ou souffrant de certaines maladies comme l'hypertension artérielle, le diabète... Votre médecin traitant, connaissant parfaitement vos antécédents, est bien placé pour vous conseiller si vous avez un risque particulier pour conduire une grossesse.

Par ailleurs, chez les couples qui ont plus de trois enfants du même sexe, et notamment des filles, il serait souhaitable de faire le spermogramme du mari, afin de détecter toute anomalie qui pourrait être à l'origine de cette situation. En effet, on a remarqué que, chez les hommes qui avaient un sperme avec un nombre de spermatozoïdes inférieur à la normale, ou un nombre de spermatozoïdes anormaux ou peu mobiles élevé, ils engendraient le plus souvent des filles (12, 33).

QUEL SERA LE DÉROULEMENT DES OPÉRATIONS ?

Toute la procédure se fait en une journée (54).

Le sperme est recueilli par masturbation. Il est conseillé de respecter une période d'abstinence sexuelle de trois jours avant l'insémination (pour recueillir le maximum de spermatozoïdes). On procède alors au dénombrement des spermatozoïdes et à leur examen morphologique… ce qui prendra autour de 45 minutes. Si la quantité de spermatozoïdes est satisfaisante, le mari peut quitter la clinique ensuite. La procédure d'enrichissement en elle-même prend entre 3 et 4 heures.

Une fois terminée, on procède à l'insémination de la femme. Le sperme est introduit dans l'utérus par une seringue et une canule fine (il n'est pas nécessaire de procéder à une dilatation du col de l'utérus). Après un repos d'une trentaine de minutes, la femme peut repartir. Aucune anesthésie n'est nécessaire, pas d'hospitalisation, aucune gêne supplémentaire.

EST-CE QUE JE PEUX REPRENDRE MA VIE NORMALEMENT APRÈS L'INSÉMINATION ?

Le problème ne se pose pas à vous, Messieurs, mais plutôt à vous, Mesdames. Bien que vous puissiez reprendre votre vie normalement, nous vous recommandons d'éviter les exercices vigoureux, les bains et la piscine dans la semaine qui suit l'insémination.

COMBIEN DE TEMPS FAUDRA-T-IL POUR CONCEVOIR ?

Le délai pour concevoir varie énormément d'une femme à l'autre. Il est dépendant de plusieurs facteurs comme la qualité du sperme au départ et l'âge de la mère. En général, une moyenne de trois cycles est nécessaire pour concevoir.

Cependant, certaines femmes y arrivent dès la première fois et d'autres mettront plus de temps. Ceci n'est pas complètement dû à la technique. Il est vrai que le nombre de spermatozoïdes recueillis après enrichissement est inférieur à celui du départ, ce qui fait baisser la probabilité de grossesse par rapport à une insémination naturelle au cours d'un rapport sexuel. Mais, en débarrassant le sperme des « impuretés » et en sélectionnant les spermatozoïdes les plus rapides, on peut relativement améliorer la capacité de fécondation du sperme et compenser la baisse du nombre de spermatozoïdes. En outre, on a remarqué que la probabilité de grossesse sous Clomid est supérieure à celle sans Clomid, toute condition identique par ailleurs.

Par conséquent, c'est plutôt la nature qui le veut ainsi. Même avec les conceptions naturelles, seulement 20 à 25 % des couples parviennent à mettre en route une grossesse dès le premier cycle de tentative. La reproduction humaine est loin d'être performante.

ET SI J'AI DES CYCLES IRRÉGULIERS ?

Il est probable que vous aurez besoin de plus de temps pour concevoir, sans pour autant en être écartée.

EST-CE PRIS EN CHARGE PAR LA SÉCURITÉ SOCIALE ?

Non. Cette insémination est considérée comme faite pour convenance personnelle et non pas par nécessité du fait d'une stérilité. Par contre, le suivi de la grossesse sera pris en charge par la Sécurité sociale comme une grossesse naturelle ou une insémination réalisée en France.

QU'EN EST-IL DE LA SÛRETÉ ?

Dans la Gender Clinic de Londres, un seul couple est traité à la fois, donc un seul échantillon est manipulé à chaque insémination (54). Ce centre n'est pas une banque de sperme, et par conséquent il n'y a pas de stockage de spermatozoïdes. Le matériel utilisé est à usage unique. Cet ensemble de précautions fait qu'aucune confusion ne peut survenir : mélange d'échantillons ou inversion de deux échantillons...

QU'EN EST-IL DE LA CONFIDENTIALITÉ ?

Aucune information vous concernant n'est délivrée à autrui sans votre autorisation écrite au préalable.

EST-CE QUE LES CHANCES D'AVOIR DES COMPLICATIONS OU DES ANOMALIES SONT PLUS ÉLEVÉES PAR RAPPORT À UNE CONCEPTION NATURELLE ?

Non, selon l'ensemble des résultats de ces cliniques. Par ailleurs, les chiffres sont les mêmes pour toutes les inséminations artificielles avec ou sans enrichissement. Malheureusement, les fausses couches restent fréquentes aussi bien dans une conception naturelle que dans une insémination artificielle, de l'ordre de une grossesse sur quatre.

QUEL EST LE COÛT D'UNE TELLE PROCÉDURE ?

Très variable d'une clinique à l'autre. Dans la plupart des cliniques américaines, il faudra compter autour de $ 1 000 par traitement (5 300 FF). Sauf peut-être pour celle de Beverly Hills, qui est probablement la moins chère, où il faut compter un minimum de $ 300 par traitement (1 500 FF), auquel il faut ajouter le prix de certains tests qui pourront être faits suivant les cas. Dans la clinique de Londres, il faut compter aux alentours de 550 £ (4 500 FF) par traitement. Aux Pays-Bas, un premier traitement vous coûtera dans les 2 000 florins (6 200 FF), alors que le deuxième vous sera facturé 1 650 florins (5 100 FF).

Etant donné que cet acte n'est pas remboursé par la Sécurité sociale ou les assurances privées, les prix peuvent être négociés.

ET LES ADRESSES ?

Nous avons sélectionné pour vous quelques-uns des centres licenciés, cette liste n'étant pas exhaustive.

Angleterre

London Gender Clinic
Dr Peter Liu, Directeur
Dr Alan Rose, Conseiller médical
140 Park Road
Hendon
London NW4 3TL
Tel./Fax. 0181-202 2900

Birmingham Gender Clinic
36 High Street Erdington
Birmingham B23 6RH
Tel. (121) 377 8100

Canada

M. Allan Abromovitch
4040 Finch Avenue East
Suite 306
Scarborough
Ontario M1S 4V5
Tel. (416) 754 1019
Telefax (416) 754 4994

Etats-Unis

Repro Lab
M. Phillippe Bailly
336 East 30th Street
New York 10016
Tel. (212) 779 3988
Telefax (212) 779 3907

The Fertility Institute of New Orleans
Dr Richard P. Dickey
6020 Bullard Avenue
New Orleans, LA 70128
Tel. (504) 246 8971
Fax (504) 246 9778

Tampa General Hospital
Department of Ob/Gyn
University of South Florida
Dr George B. Maroulis
P.O. Box 1289

Tampa
Florida 33601
Tel. (813) 254 7774
Fax. (813) 254 8007

West Coast Infertility & Reproductive Associates
Dr Michael M. Kamrava, Directeur
250 North Robertson Boulevard
Suite 403
P.O. Box 5731
Beverly Hills
California 90211
Tel. (310) 285-0333
Fax. (310) 285-0334
E-mail : kamrava@ix.netcom.com

Israël

TAL Medical Institute
M. Tuvia Brondvine
M. Yoram Fintsi
19 Malkhey-Israel, Apt. 15
Tel-Aviv
Telefax (03) 522 8407

Liban

Arz Lebanese Center for Infertility and In Vitro Fertilization
M. Edgard Hadad, Directeur
El Arz Hospital - Zalka
Tel. (01) 885 500

Pays-Bas

Stichting Gender Preselection
M. Bert van Delen, Directeur
Amsterdamsestraatweg 544
3553 EN Utrecht
Tel. 31-30-244 8535
Fax. 31-30-243 5268

7

LES CONSÉQUENCES

—

Peut-on laisser aux couples le choix du sexe de leur enfant ?
Ce choix ne pourrait-il pas leur nuire : à eux, à leurs
enfants ou à la société tout entière ?

Bien qu'il soit difficile de faire des prédictions, et tout en évitant les déclarations sensationnelles, nous avons tenté de
répondre de manière objective. Nul doute que de telles conséquences se feront sentir dans de nombreux domaines aussi bien
génétique et démographique, que social et économique.

La majorité des arguments contre la prédétermination du sexe
de l'enfant sont non seulement spécieux, mais relèvent, pour
emprunter aux politiciens une expression qui leur est familière,
de « la pensée unique », avec une argumentation qui est pré-
sentée comme la seule vérité, alors qu'elle n'est faite que de
pures hypothèses.

Alors, si vous en avez assez d'entendre « ces annonceurs

d'apocalypse », comme à chaque fois que la médecine a franchi une nouvelle étape, ce qui suivra vous intéressera comme cela nous a passionnés.

LES CONSÉQUENCES GÉNÉTIQUES

1. Les maladies génétiques liées au sexe

Il existe actuellement des milliers de maladies génétiques dans l'espèce humaine, parmi lesquelles plusieurs centaines sont liées au sexe (7). En général, ces maladies sont transmises par les femmes et affectent la moitié des enfants garçons. En attendant que les chercheurs mettent en route des tests pour toutes ces maladies génétiques liées aux X et dans l'espoir de voir apparaître de nouveaux traitements, la seule façon d'éviter une grande partie de ces maladies, c'est effectivement d'éviter d'avoir un garçon.

Tout le monde s'accorde pour reconnaître la grande nécessité d'aider ces couples à éviter ces maladies incurables qui les épuisent physiquement et moralement. Comme le souligne le Pr Auroux, chef du service de biologie de la reproduction à l'hôpital de Bicêtre, qui reste cependant opposé au choix du sexe pour convenance personnelle, « *ce serait tout bénéfice pour la santé des populations et l'économie du pays* » (12).

En effet, le choix du sexe permettrait à ces couples :

- d'éviter l'attente angoissante jusqu'au 3e ou 4e mois de grossesse, avant d'être fixés sur le sort de celle-ci ;

- d'éviter l'avortement qui reste toujours une épreuve

pénible dans le cas où la grossesse doit être interrompue.

2. L'eugénisme

Les principaux adversaires de la présélection du sexe craignent qu'en autorisant de telles pratiques pour convenance personnelle et non médicale, on s'engage vers une dérive conduisant à l'eugénisme. Par ailleurs, ils imaginent qu'un jour les parents souhaiteront déterminer en plus la couleur des yeux, des cheveux, la taille, « la beauté » et pourquoi pas « l'intelligence ».

Outre la grande part de pessimisme qui se dégage d'un tel raisonnement, certaines personnes semblent mélanger la réalité des choses avec leurs propres fantasmes. Il est dommage que de tels arguments démagogiques soient utilisés comme prétexte afin d'interdire aux couples leur simple aspiration vers une famille équilibrée entre garçons et filles. On cherche plus à spéculer et à exploiter certaines peurs qu'à débattre de façon impartiale et crédible.

L'eugénisme par définition est « la science des conditions les plus favorables à la reproduction et à l'amélioration de la race humaine ». Il s'agit indéniablement d'un autre sujet que celui que nous traitons dans ce livre : on ne voit pas en quoi le choix du sexe pourrait améliorer la race humaine. Quant aux dérives eugéniques éventuelles, si le besoin s'en faisait sentir, il reviendrait aux parlementaires de mettre un terme à de tels dérapages inacceptables.

A propos du choix de la couleur des yeux et des cheveux, c'est un argument « sans consistance », méprisant, qui veut laisser croire à la futilité de la démarche des

couples qui ont recours à la prédétermination du sexe. Il
ne prouve qu'une seule chose, le manque d'arguments
sérieux opposables au choix du sexe par les parents.
Même en faisant des projections futuristes très optimistes, il serait impossible techniquement de parvenir à
sélectionner ce genre de paramètres avant longtemps. Et
quand bien même on y arriverait, il serait impossible de
choisir plusieurs critères simultanément. Il va falloir
patienter des décennies supplémentaires, avant de pouvoir techniquement être capable d'obtenir un embryon
dont plusieurs caractères héréditaires auront été prédéter-
minés. Ainsi, ces prévisions utopistes sont dignes de
figurer plutôt sous la rubrique de « romans de science-
fiction », que dans celle de « sciences de la vie ».

LES CONSÉQUENCES DÉMOGRAPHIQUES

1. Le sexe du premier enfant

On a noté dans certaines études une légère préférence
pour que l'enfant aîné soit un garçon et pour que le
deuxième soit une fille (16). Par conséquent, on pourrait
s'attendre à un léger excès de garçons, suivi par un excès
de filles qui contrebalancera ce déséquilibre. En définitive, il ne s'agirait que d'un effet transitoire.

2. La natalité et la taille de la famille

Dans les pays riches, dits pays développés (essentiellement les pays occidentaux), on a remarqué depuis un certain temps une baisse régulière de la fécondité (se situant à 1,7 enfant par femme en 1995, contre 2,72 en 1960) (8). Nous sommes loin des 2,1 enfants par femme nécessaires pour assurer le renouvellement des générations. Par cette dénatalité, ces pays développés, qui détiennent une grande partie de la « richesse » mondiale, risquent de devenir très minoritaires en nombre.

Dans les pays pauvres, dits pays en voie de développement, c'est le phénomène inverse qui est préoccupant : la surpopulation. Cette surpopulation freine le développement de ces pays, qui seront de plus en plus pauvres certes, mais deviendront majoritaires en nombre.

Cette situation déséquilibrée risque de devenir explosive avec la montée de l'extrémisme, dans quelques dizaines d'années. On a longtemps parlé de la fracture sociale au niveau national ; il faut bien reconnaître l'existence d'une fracture sociale internationale entre les pays développés et ceux en voie de développement.

Nous pensons que l'effet sur la natalité sera différent selon la richesse et le développement des pays.

Dans les pays développés

Une augmentation de la natalité est à envisager. Le choix du sexe pourra être le « petit coup de pouce » qui stimulera quatre catégories de foyers à vouloir un (des) enfant(s), s'ils disposent de chances sérieuses pour choisir son (leurs) sexe(s) :

— les couples sans enfants ;
— les familles d'enfant unique ;

— les familles de deux enfants (du même sexe) ;
— les familles de trois enfants.

La France a connu un « baby-boom » dans l'après-guerre de 1945 à 1950, voire jusqu'au milieu des années soixante. La fin de la guerre y était pour quelque chose avec la relance économique et la confiance dans l'avenir. Mais certains noteront, en plus, un « changement de mentalité » marqué par une hausse des naissances hors mariage.

Un tel changement de mentalité, produit essentiellement par le choix du sexe, associé à d'autres conditions comme la reprise économique, la revalorisation des allocations familiales, certaines facilités pour les femmes dans le monde du travail, etc. fera en sorte qu'un climat nataliste pourra régner à nouveau dans les pays développés.

Dans les pays en voie de développement

Une diminution de la natalité est à prévoir. En effet, dans une grande étude menée avec plus de trois mille femmes au Bangladesh, on a remarqué que les couples qui sont parvenus à avoir la composition d'enfants qu'ils souhaitaient acceptaient et continuaient à suivre une contraception plus souvent que les couples qui ne sont pas arrivés à avoir leur composition préférée [11]. Ainsi, il ressort que les couples veulent s'assurer d'avoir la fille ou le garçon qu'ils ont toujours souhaité avant d'opter pour une contraception sûre.

Il est évident que pour être le plus efficace possible, la prédétermination du sexe doit s'accompagner d'une aide aux femmes afin qu'elles puissent contrôler leur fertilité et d'un programme international pour diminuer la pauvreté dans ces pays.

Ainsi, l'adoption de la prédétermination du sexe est un des moyens pour garantir un avenir meilleur aux générations futures.

3. L'équilibre démographique entre hommes et femmes

Différents facteurs d'ordres psychosocial, culturel, économique et religieux joueraient sur nos préférences pour un garçon ou une fille.

Dans les diverses raisons qu'on retrouve chez ceux qui préfèrent un garçon à un moment de leur vie, dans les pays développés ou dans les pays en voie de l'être, on peut noter :

- la naissance d'une ou plusieurs filles ;
- le désir de perpétuer le nom de famille ;
- la croyance en une éducation plus facile ;
- dans les pays du tiers monde, les hommes constituent la seule sécurité financière pour les parents âgés (ils restent avec leurs parents même quand ils sont mariés). Ils deviennent une sorte d'assurance dans des pays où la Sécurité sociale et la retraite n'existent pas ;
- dans les croyances hindoues, seul un homme peut se charger des rites funéraires, etc.

Dans certaines cultures, les filles peuvent être ressenties comme un poids ; les raisons invoquées sont :

- les parents sont censés payer une dot pour le mariage de leur fille (surtout en Inde), ce qui constitue un poids financier important ;
- en se mariant, la fille part pour rejoindre la famille de son mari. Quand les parents seront âgés, ils ne pourront compter ni sur sa présence ni sur ses ressources.

Cependant, dans certaines régions du monde, comme en Europe, dans le centre du Kenya, et même au nord de l'Inde (2), elles peuvent être préférées aux garçons. Une fille peut être plus souhaitée qu'un garçon, pour différentes raisons :

- équilibrer un foyer de un ou plusieurs garçons ;
- la croyance en une éducation plus facile ;
- pour permettre l'existence d'une relation de complicité mère-fille ;
- c'est la sécurité quotidienne pour certaines familles du tiers monde : aider la mère dans les travaux de tous les jours…

Indépendamment des raisons évoquées par les uns et les autres, une nette volonté pour une composition équilibrée entre les garçons et les filles se dégage d'une étude menée il y a quelques années dans 27 pays du monde (1).

Plus particulièrement, différentes études américaines n'ont pas montré de réelle différence pour le choix de l'un ou l'autre des deux sexes (9,15,16). En effet, le désir d'équilibre des familles est toujours prédominant (9). Suivant le nombre d'enfants déjà nés, les préférences manifestées par les participantes d'une grande étude étaient les suivantes (16) :

— parmi celles qui ont déjà un enfant : près de 80 % auraient souhaité une fille si elles avaient un garçon, et un garçon si elles avaient une fille ;
— parmi celles qui ont plus de deux enfants, tous du même sexe : près de 85 % auraient souhaité une fille si elles avaient des garçons, et un garçon si elles avaient des filles ;
— parmi celles qui ont deux enfants, une fille et un garçon : l'opinion est partagée, la moitié des femmes

auraient souhaité une fille (51 %) et l'autre moitié un garçon (49 %).

Même en Asie, dans un pays comme le Bangladesh, où la préférence pour les garçons serait plus marquée, l'étude menée auprès de trois mille femmes a permis de constater que les couples veulent au moins une fille et n'acceptent pas une contraception tant qu'ils n'en ont pas une (11).

Dans la célèbre revue scientifique, « The Lancet », un éditorialiste fait remarquer que « *si la proportion de garçons augmentait significativement, quoique chose improbable, les femmes auraient un large choix de partenaires et bénéficieraient d'une plus grande considération sociale. A long terme, il y aurait une augmentation des naissances de filles et un rétablissement de l'équilibre* » (13).

Selon les conclusions du récent symposium international sur l'éthique, les scénarios catastrophes de « déséquilibre démographique » entre les sexes ne sont pas convaincants (17).

Il en est de même pour André Langaney, directeur du laboratoire d'anthropologie au Musée de l'homme, « *les sociétés traditionnelles reposent sur un partage des rôles entre les sexes et ceci nécessite un équilibre de leurs proportions, pas toujours égales* » (5). Dès qu'on s'en écarte, il y a nécessité de « *retour à cet équilibre* ».

LES CONSÉQUENCES SOCIALES

Bien que l'avortement, l'infanticide et l'abandon de l'enfant du sexe non désiré ne constituent que des attitudes marginales aujourd'hui, on ne peut rester indifférent à de pareils drames. Etant donné qu'il est impossible d'empêcher des couples psychotiques prêts à tout de parvenir à leur volonté, la prédétermination du sexe permet d'éviter de telles souffrances à des nouveau-nés non désirés.

1. L'avortement

Depuis longtemps, il est possible de connaître le sexe du fœtus par différents moyens comme l'amniocentèse ou le prélèvement du chorion à quelques semaines de grossesse. Alors, dans certains pays, comme l'Inde, on a substitué à l'infanticide l'avortement du fœtus du sexe non désiré après avoir pris connaissance du résultat de l'amniocentèse (10).

Même en Occident, la connaissance du sexe du fœtus constitue parfois une tentation à l'avortement. Une étude en Suède portant sur des femmes qui ont eu un diagnostic prénatal (voir « Prélèvement fœtal ») car elles étaient âgées de plus de 35 ans (afin de détecter toute anomalie chromosomique) montre que chez une femme sur six la connaissance du sexe peut influencer la décision en faveur de l'avortement (14).

Dans beaucoup de pays européens, les laboratoires ne donnent plus systématiquement le sexe du fœtus après un diagnostic prénatal, sauf à la demande des parents ou s'il y a une maladie génétique liée au sexe dans la famille.

Tout simplement parce que certains parents s'en sont plaints : ils ne voulaient pas connaître le sexe de leur enfant avant la naissance. Bien sûr, cette politique ne résoudra pas le problème de la sélection du sexe, puisqu'il suffit de demander le sexe du fœtus pour l'obtenir et d'avorter ensuite.

La prédétermination du sexe permet de diminuer, voire de supprimer le nombre d'avortements après diagnostic anténatal.

2. L'infanticide

L'infanticide est la méthode la plus ancienne et la plus cruelle pour avoir l'enfant de tel ou tel sexe ou plutôt pour éliminer l'enfant dont le sexe n'est pas désiré. Pratiqué contre les nouveau-nés filles dans certaines cultures comme chez les Esquimaux, les Maoris de Nouvelle-Zélande, et les Toda en Inde…

Comme le disait un médecin indien, le choix éthique se situe entre la perpétuation de l'infanticide ou sa prévention par le choix du sexe [4]. En parallèle, d'importants changements de mentalité à travers l'éducation seraient nécessaires, mais ce processus demandera beaucoup de temps.

3. L'abandon

Une des méthodes les plus simples, mais non moins atroce, consiste à abandonner l'enfant non désiré. Le choix du sexe pourra éviter de tels comportements inhumains et absurdes.

4. Le sexisme

Certains ont tendance à être trop simplificateurs en pensant que ces méthodes favoriseraient une discrimination à l'égard du sexe féminin.

Comme il est en général impossible d'avoir deux enfants à la fois, il est normal de souhaiter tel sexe pour la grossesse à venir et tel autre pour celle qui suivra. Nos préférences dépendent de l'histoire de chacun et elles ne restent pas figées sur un même sexe durant toute notre vie.

Par ailleurs, cette accusation laisse entendre qu'il n'y aurait pas à l'opposé de couples qui souhaiteraient avoir des filles. Or, en Europe, les préférences vont souvent pour les deux sexes avec un petit penchant pour les filles (6). Donc, accuser la moitié des gens d'être sexistes est en soi discriminatoire. Il n'est pas raisonnable non plus d'accuser les couples qui ont au moins une fille et qui souhaitent un garçon d'être sexistes.

D'autre part, une étude new-yorkaise montre (3) que chez les couples américains, dans plus de 80 % des cas, la décision de choisir le sexe du futur enfant a été prise par les deux partenaires ou par la femme uniquement. Chez les couples étrangers, le chiffre est de 50 %. Cette étude montre que la femme prend part activement à une telle décision.

En permettant à tous les couples de pouvoir obtenir des filles, la prédétermination du sexe est précisément un acte contre le sexisme.

LES CONSÉQUENCES ÉCONOMIQUES

Toute avancée dans le domaine de la prédétermination du sexe se répercutera sur la reproduction animale. Par exemple, les producteurs de viande préfèrent avoir des taureaux alors que les producteurs de lait ont besoin de vaches. Nous pourrons donc adapter la production de lait ou de viande aux besoins du marché.

Nous sommes dans un espace limité, avec des richesses limitées, et les effets retrouvés d'un tel progrès pèseront sur l'alimentation et l'habillement de la population mondiale, dont les besoins, eux, ne cessent de s'accroître.

CONCLUSION

—

DONNER LE CHOIX

Accepter l'idée qu'on puisse choisir d'avoir une fille ou un garçon dépend de multiples facteurs : de notre statut socio-économique, de nos croyances religieuses, de notre âge, du nombre d'enfants que l'on a, de leur sexe, etc. Quoi qu'il en soit, la décision de certains couples de ne pas recourir au choix du sexe de leur futur enfant, pour des raisons morales ou autres, ne peut susciter que le respect. Cependant, il est parfaitement approprié d'aider ceux qui souhaitent bénéficier de cette possibilité de choix.

En effet, il ressort de certaines études que près de 40 % des personnes interrogées ont une **préférence** pour l'un des deux sexes, et que cette préférence est mieux acceptée avec l'âge. Cependant, la notion psychologique de « l'enfant imaginaire » qui surgit dans tous les couples, surtout chez les femmes durant la grossesse, et le fait que la plupart des personnes n'avouent pas leur préférence par sentiment de culpabilité, nous laissent penser que ce chiffre est en réalité beaucoup plus élevé.

Notons également **la tendance actuelle** qui est que les femmes font des enfants de plus en plus tard, n'en font que deux en moyenne et que leur désir d'avoir une famille équilibrée est de loin majoritaire en France. Par conséquent, la possibilité de choisir d'avoir un garçon ou une fille nous semble être parfaitement en phase avec l'évolution de notre société.

Par ailleurs, à une époque où la **natalité** en France est bien inférieure au seuil nécessaire pour assurer le renouvellement des générations, cette nouvelle possibilité qui serait offerte aux couples, associée à certaines conditions (valorisation des allocations, reprise économique…), pourrait créer un climat nataliste, en stimulant trois catégories de foyers à vouloir un (des) enfant(s), afin d'équilibrer leur composition familiale :

— les familles à enfant unique ;
— les familles de deux enfants du même sexe (qui constituent la moitié des couples de deux enfants, la moyenne en France) ;
— les familles de trois enfants.

CHOISIR LE SEXE DE SON ENFANT

Comme nous vous l'avons démontré au fil de ces pages, il est tout à fait aisé aujourd'hui d'échapper à la fatalité ou à l'injustice du hasard et de choisir le sexe de son futur enfant. Et nous espérons que, grâce à ce livre, qui est le premier à englober toutes les méthodes existantes, vous en avez été convaincus. Le pourcentage de réussite pour les différentes méthodes expérimentées séparément se situe entre 70 et 80 % selon les différentes études réalisées. Il serait très intéressant d'associer les différentes méthodes décrites dans ce livre, car cela vous permettrait d'augmenter considérablement vos chances de succès.

Etant donné que chaque méthode a ses points forts et ses points faibles, vous trouverez ci-dessous un tableau récapitulatif, résumant les principales caractéristiques des méthodes décrites dans ce livre.

	Points forts	*Points faibles*
Méthode diététique	• Naturelle • Simple • Pas de modification des habitudes sexuelles • La participation masculine est possible mais reste facultative (uniquement par soutien psychologique) • Pas de coût particulier (pour les suppléments en minéraux : coût négligeable) • Peut être suivie par la majorité des femmes en bonne santé • Peut être suivie par toutes les femmes qu'elles aient des cycles réguliers ou non	• Légèrement contraignante • Modification des habitudes alimentaires • La participation masculine n'est pas obligatoire (à part les rapports sexuels, bien sûr !) • Certaines maladies l'interdisent aux femmes, qu'elles désirent une fille ou un garçon

Méthodes naturelles	• Naturelles • Pas de modification des habitudes alimentaires • Coût nul ou faible (pour les tests urinaires, qui ne sont pas obligatoires) • Peuvent être suivies par les femmes ayant des cycles réguliers (qu'elles désirent une fille ou un garçon) ou même des cycles irréguliers (uniquement par celles qui souhaitent un garçon) • Aucune maladie ne les interdisent spécifiquement, que les femmes souhaitent une fille ou un garçon	• Légèrement contraignantes • Modification des habitudes sexuelles • Petite participation masculine • Ne peuvent pas être suivies par les femmes qui ont des cycles irréguliers et qui désirent une fille
Méthode d'Ericsson	• Peu contraignante • Pas de modifications des habitudes alimentaires • Peu de modification des habitudes sexuelles • Peut être suivie par les couples ayant des problèmes de fertilité • Aucune maladie ne l'interdit spécifiquement aux femmes qui souhaitent un garçon	• Une aide médicale est nécessaire • Petite participation masculine • Coûteuse surtout pour les femmes ayant des cycles irréguliers • Certaines maladies l'interdisent aux femmes qui désirent une fille

Nous espérons que vous êtes maintenant assez informés pour décider en conséquence si vous désirez recourir au choix du sexe de votre futur enfant et suivant quel type de méthode. Plus fort que ce choix lui-même ou que le moment propice pour le faire, l'amour reste à l'origine du désir de procréer, et donner la vie à un enfant sain demeure le premier souhait de tout couple. Et nous sommes persuadés que cette évidente constatation le restera dans l'avenir.

Mais, il serait par contre inconcevable de vous empêcher de recourir aux méthodes «diététiques», «naturelles» ou à celles de «présélection du sexe médicalement assistée» pour choisir le sexe de votre futur enfant d'une part par respect du principe de la liberté que nous avons de nous informer et d'être au courant de l'existence de certaines méthodes pour contrecarrer le hasard, et d'autre part par respect du principe de l'égalité des chances pour tous d'avoir une famille équilibrée. Cependant, les centres où sont appliquées les méthodes médicalement assistées doivent être contrôlés afin de vous assurer une excellente qualité des traitements. Pour le volet éthique, des conditions semblables à celles déjà proposées par les cliniques européennes paraissent satisfaisantes.

Nous terminerons ce livre avec le colloque organisé récemment par le Comité d'éthique de la Fédération internationale de gynécologie-obstétrique, au quartier de l'UNESCO à Paris. Des spécialistes médicaux et non médicaux, venus du monde entier, y ont participé. Dans leur compte rendu à propos de la sélection du sexe, ils ont reconnu l'existence à tort d'un amalgame entre une sélection du sexe fondée sur des considérations sociales discriminatoires et injustifiées, à laquelle le corps médical ne doit pas prêter le concours de ses technologies, et une sélection préconceptionnelle avec la reconnaissance de la légitimité des motivations visant à parfaire l'équilibre familial (17).

C'est aux gens optimistes, confiants dans le progrès, de tirer le meilleur profit de toutes ces nouvelles techniques qui pourront apporter des réponses positives à certaines attentes légitimes. Ne nous limitons pas à des attitudes frileuses qui ne feraient que freiner le progrès humain, comme cela fut toujours le cas depuis la nuit des temps. Le futur appartient à tout le monde.

Bonne chance.

ANNEXES
—

Annexe 1 :
Valeurs conceptionnelles des aliments

Cette table regroupe la composition minérale de quelques centaines d'aliments ; elle nous a permis de faire les listes des produits autorisés ou interdits des diètes garçon et fille. En général, les chiffres correspondent à l'analyse de 100 grammes de matière comestible sauf pour les bouteilles d'eau minérale (valeur par litre d'eau). Figurent dans cette table, outre les valeurs conceptionnelles des aliments, leur composition en minéraux indiquée en milligramme et leur valeur calorique en kcal. Nous avons utilisé plusieurs sources pour l'élaborer (Méthodes diététiques : 1, 2, 7, 8, 11, 13, 18 , 20, 21, 26). Il est arrivé que les valeurs pour un aliment diffèrent d'une source à une autre ; quand la différence n'était pas importante, nous avons donné une moyenne. Pour certains aliments, nous n'avons pas trouvé de valeur connue.

Pour plus de détails, reportez-vous aux chapitres de la méthode diététique. Les symboles utilisés ci-dessous correspondent à : **Na** pour le sodium, **K** pour le potassium, **Mg** pour le magnésium, **Ca** pour le calcium et **R** pour la valeur conceptionnelle.

Aliments	Cal.	Na	K	Mg	Ca	R
Lait						
Lait de vache entier	69	48	157	12	120	1,5
Lait de vache écrémé	35	53	150	14	123	1,5
Lait de vache stérilisé UHT	68	48	157	12	120	1,5
Lait de brebis	100	30	182	11,5	183	1,1
Lait de chèvre	72	42	181	14	127	1,6
Lait entier en poudre	506	371	1 160	110	920	1,5
Lait écrémé en poudre	371	557	1 580	110	1 290	1,5
Produits laitiers frais						
Crème 10 %	127	40	132	12	101	1,4
Crème 30 %	317	34	112	10	80	1,6
Fromage blanc 0 %	54	40	95	12	92	1,3
Fromage blanc 20 %	112	35	87	11	85	1,2
Fromage blanc 40 %	147	34	82	10	95	1,1
Petit-suisse 40 %	142	30	110	10	93	1,4
Petit-suisse aux fruits	180	30	100	10	95	1,4
Yaourt nature	48	57	210	14	174	1,4
Yaourt 0 %	39	55	180	14	164	1,3
Yaourt brassé aux fruits	92	50	190	10	140	1,6
Fromages						
Brie 50 %	358	1 170	152	27	400	3
Bleu 50 %	370	1 100	138	39	610	1,9
Camembert 30 %	228	900	120	19	600	1,6
Camembert 45 %	300	970	110	17	570	1,8
Cheddar 50 %	410	675	102	37	810	0,9
Edam 30 %	266	800	95	59	800	1
Edam 40 %	331	900	105	31	793	1,2

Aliments	Cal.	Na	K	Mg	Ca	R
Emmental 45 %	400	450	107	35	1 200	0,5
Féta	260	1 500	151	19	429	3,7
Gouda 45 %	382	869	76	28	920	1,1
Gruyère	390	500	150	40	1 000	0,6
Mozzarella	262	120			403	
Parmesan	400	704	131	45	1 290	0,6
Raclette	360	760	112	14	550	1,6
Roquefort	378	1 810	91	30	662	2,8
Viandes						
Moyenne	228	60	300	20	11	11,6
Abats moyenne	127	90	240	22	12	9,7
Agneau moyenne	280	90	250	24	10	10
Bœuf moyenne	280	70	300	20	10	12,3
Entrecôte	203	58	300	21	8	12,3
Foie	123	116	292	17	7	17
Langue	221	100	255	10	10	18
Rumsteck	116	65	340			
Steak haché 5 % MG	159	61	360	27	8	12
Steak haché 15 %	251	62	329	23	11	11,5
Cheval moyenne	106	44	332	23	13	10,4
Gibier moyenne						
Cerf	122	61	330	29	7	11,2
Chevreuil	119	71	324		15	
Lapin	160	40	210			
Lièvre	124	50	400		9	
Mouton moyenne	239	80	300	23	13	10,6
Cervelle poêlée puis rôtie	156	135	280	15	5	21
Cœur	169	118	248	16	4	18
Côtelette	370	90	345		9	
Filet	122	94	289	19	12	12,4
Foie	131	95	282		4	

Aliments	Cal.	Na	K	Mg	Ca	R
Gigot	250	78	380	23	10	14
Langue	200	105	277		19	
Rognon	101	239	252		13	
Porc moyenne	291	60	300	30	10	9
Veau moyenne	168	35	350	20	11	12,4
Cœur	118	104	265	25	16	9
Côtes Filet	235	76	320		12	
Foie poêlé	109	53	252	19	9	11
Jarret	155	109	300		12	
Volaille moyenne						
Canard	200	80	280	15	10	14,4
Dinde	231	63	300	27	25	7,1
Poulet	160	60	350	37	12	8,4
Poissons						
Poissons maigres	90	82	314	34	35	5,7
Poissons gras	220	74	336	28	23	8
Anchois	110	3 700	278	42	82	32
Anguille conserve	299	65	217	21	17	7,4
Anguille fumée	350	500	243	18	19	20
Baleine	134	100	300		12	
Brochet	89	63	250	25	20	7
Cabillaud	82	72	356	25	24	8,7
Carpe	125	46	306	30	52	4,3
Colin	86	89	274	20	64	4,3
Eperlan	93	156	357	24		
Flétan	110	67	446	28	14	12,1
Haddock	80	116	301	24	18	10
Haddock fumé	102	557	300	25	20	19
Hareng	222	117	360	31	34	7,3
Hareng fumé		990	520	50	60	13,8
Hareng mariné		1030	98	12	38	22,6
Loup	96	105	282	27	20	8,3
Maquereau	195	95	396	30	12	11,7

Aliments	Cal.	Na	K	Mg	Ca	R
Merlu	84	101	294		41	
Morue salée	138	400	300	35	20	13
Perche	89	47	330	20	20	9,4
Sardine	135	100	360	28	85	4
Sardine conserve	240	750	510	30	380	3
Saumon	217	51	371	29	13	10
Saumon conserve		538	320	30	66	9
Saumon fumé		1 200	420	28	21	33
Sole	90	100	309	49	29	5,2
Surimi	82	700	64	14	13	28
Thon	242	43			40	
Thon conserve		644	240	30	40	12,6
Truite	112	40	465	27	18	11,2
Turbot	90	114	290	45	17	6,5
Mollusques et crustacés...						
Calmars crus	83	104	246	39	22	5,7
Caviar véritable russe	262	1.940	164		140	
Coquille St-Jacques cuite	106	270	480	40	120	4,7
Crabe	120	366	271	48	30	8,1
Crabe en conserve	97	720	170	38	97	6,6
Crevettes grises cuites	116	224	182	34	39	5,6
Crevettes roses cuites	112	980	122	27	115	7,8
Escargot	67			250	170	
Grenouille	69	55	300	23	18	8,6
Homard bouilli	96	560	240	38	58	8,3
Huîtres crues	68	250	204	37	86	3,7
Langouste	91	182	500		68	
Moules cuites	118	290	166	37	96	3,4

Aliments	Cal.	Na	K	Mg	Ca	R
Charcuteries						
Bacon fumé cuit, Lard	658	1 770	225	15	13	71
Boudin noir	424	680	38	8	7	48
Boudin blanc	305	620	122		25	
Cervelas	485	1260	300	11	24	45
Corned-beef	225	950	140	15	14	38
Foie gras	448	740	170	15	10	36
Jambon cuit	216	960	270	24	15	31
Jambon cru fumé	396	1 400	248	20	10	55
Pâté de foie	334	738	173	15	10	36
Merguez	300	900	160	10	12	48
Mortadelle	323	1 000	180	10	14	49
Pâté de campagne	328	710	233	19	15	28
Salami	550	1 800	302	12	35	45
Saucisses de Francfort	286	778	180	11	8	50
Saucisson sec	424	2 100	160	16	11	83
Tarama	547	600	111	8	29	19
Viande séchée	262	2 100	1 000		48	
Œufs						
Entier	163	130	140	11	55	4,1
Jaune	364	65	116	18	140	1,2
Blanc	49	150	150	10	14	12,5
Corps gras						
Beurre	752	22	12	1	12	2,5
Beurre allégé	401	190	80	8	23	8,7
Margarine	744	118	5	1	10	11,2
Huiles végétales	930	traces	tr	tr	tr	
Céréales - Pains						
Amidon de blé	333	2	16		0	

Aliments	Cal.	Na	K	Mg	Ca	R
Amidon de maïs	343	3	7	2	0	5
Amidon de riz	343	61	8	20	20	1,7
Biscotte	387	263	160	16	42	7,3
Biscuit petit-beurre	455	387	139	23	47	7,5
Blé semoule	317	1	112	40	17	2
Blé farine complète	339	10	450	140	40	2,5
Blé farine blanche	349	3	135	20	16	3,8
Blé germes	319	5	837	260	69	2,6
Céréales						
du petit`déjeuner						
(produits Kellog's						
pour adulte) :						
All-Bran	270	900	1 100	220	60	6,8
Corn Flakes	370	1 100	90	10	5	79
Country Store	350	600	500	80	60	7,8
Cracky nuts	380	700	100	20	10	26
Extra fruits	470	400	300	70	40	6,4
Fruit 'n Fibre	350	700	450	70	40	10,5
Oats	340	traces	300	90	300	0,7
Special K	370	900	250	50	60	10,5
Croissant	413	400	100	30	20	10
Fécule de pomme						
de terre	335	8	15		35	
Flocons d'avoine	371	5	335	145	54	1,7
Maïs grains entiers	338	6	330	120	15	2,5
Pain blanc	255	500	100	30	20	12
Pain blanc sans sel		15	100	30	20	2,3
Pain complet	239	650	224	90	50	6,3
Pain de campagne	261	786	126	22	22	21
Pain de mie	275	600	129	21	91	6,5
Pain de seigle	197	552	169	35	29	11
Pâtes	354	17	164	67	27	1,9
Riz naturel	353	10	150	157	23	0,9

Aliments	Cal.	Na	K	Mg	Ca	R
Riz poli	351	6	103	64	6	1,6
Sarrasin farine entière	346	1 000	680		33	
Légumes						
Ail	133	17	446	21	38	8
Artichaut	48	47	353	26	53	5
Asperge	14	4	207	20	21	5
Aubergine	20	4	266	11	13	11
Bette	17	135	541	113	118	3
Betterave rouge	41	58	336	25	29	7,3
Brocoli	22	13	464	24	105	3,7
Carotte	42	50	300	15	39	6,5
Carotte jus	22	52	219	8	27	7,8
Cerfeuil	42	10	600	25	260	2,1
Céleri en branches	11	100	350	12	60	6,2
Cèpe		6	486	12	23	14
Champignons	14	8	422	13	8	20
Champignons en boîte		319	127	15	19	13
Chicorée	11	4	192	13	26	5
Chou blanc	22	13	227	23	46	3,5
Chou de Bruxelles	35	7	411	22	31	8
Chou de Chine	10	7	202	11	40	4,1
Chou-fleur	23	16	328	17	20	9,3
Chou frisé	31	9	282	12	47	5
Chou-navet		10	227	11	48	4
Chou rouge	20	4	266	18	35	5,1
Chou vert	28	18	400	34	429	0,9
Choucroute	16	650	140	10	36	17
Ciboulette	25	3	275	40	86	2,2
Citrouille	19	1	383	8	22	12,8
Civette		3	434	44	129	2,5
Concombre	13	9	141	8	15	6,5

Aliments	Cal.	Na	K	Mg	Ca	R
Courge, courgette	18	1	202	10	30	5
Cresson	21	75	300	25	211	1,6
Endive	12	53	346	10	54	6,2
Epinard	14	65	633	58	126	3,8
Fenouil	16	331	784	49	109	7
Haricot vert	37	2	260	25	65	3
Haricot vert boîtes	275	236	95	13	36	6,8
Laitue	10	10	224	11	37	4,9
Mâche	13	4	421	13	26	10,9
Maïs doux cuit	93	1	300	48	6	5,6
Navet	19	58	238	7	50	5,2
Oignon	32	9	175	11	31	4,4
Olive verte saumurée	118	1 609	52	20	36	30
Olive noire saumurée	293	3 288	40	22	61	40
Oseille	24	4	400	100	43	2,8
Paprika	20	2	212	12	11	9,3
Patate douce	96	4	413	25	35	7,6
Persil feuilles	27	33	1 000	41	245	3,6
Petits pois	84	2	304	43	24	4,6
Petits pois en boîte		236	99	20	20	5,9
Pissenlit feuilles	39	76	440	36	158	2,6
Poireau	25	5	225	18	87	2,2
Poivron vert	27	1	186	12	11	8,1
Pomme de terre	76	3	443	25	10	12,7
Pomme de terre purée séchée	321	160	1 150	27	30	23
Pomme de terre chips	549	450	1 190	64	52	14,1
Pomme de terre frite	267	6	926	50	20	13,3
Radis	9	18	322	15	33	7,1
Raifort	60	9	554	33	105	4
Rhubarbe	11	1	270	13	100	2,4
Scarole		14	280	12	37	6
Soja pousses		30	218	15	42	4,4

Aliments	Cal.	Na	K	Mg	Ca	R
Tomate	17	6	297	20	14	8,9
Tomate jus commerce		5	236	10	15	9,6
Tomates en boîte		9	230	25		
Tomates concentrées		5	236	10	15	9,7
Truffe		77	526	24	24	12,6
Légumes secs - Grains						
Fèves	340	1	1 213	159	148	4
Haricots blancs	301	2	1 450	170	106	5,3
Lentilles	321	4	1 200	77	60	8,8
Pois chiches	314	27	580	108	110	2,8
Pois cassés	351	40	900	33	130	5,7
Sésame		45	458	347	783	0,5
Soja	357	4	1740	247	257	3,5
Tournesol	607	2	724	420	98	1,4
Fruits frais						
Abricot	44	2	278	9	16	11,2
Abricots boîtes	71	13	196	10	11	10
Ananas	56	2	250	11	12	11
Ananas boîtes	84	1	175	8	13	8,4
Avocat	230	3	680	41	16	12
Banane	81	1	393	36	8	9
Cassis	48	1	310	17	46	5
Cerise	58	3	229	11	17	8
Citron	41	3	170	10	50	2,9
Citron jus		1	138	10	11	6,6
Coing	40	2	201	8	10	11
Cranberry	39	2	90	7	14	4,4
Figue	61	5	285	20	50	4,1
Figue de Barbarie	47	1	183	28	46	2,5

Aliments	Cal.	Na	K	Mg	Ca	R
Fraise	32	2	165	15	26	4
Framboise	31	2	150	30	49	1,9
Framboise sirop	267	2	90	7	16	4
Fruit de la passion	67	10	228	30	12	5,6
Gombo	19	3	285	60	84	2
Goyave	35	4	290	13	17	9,8
Grenade	75	7	290	3	8	27
Groseille rouge	38	1	238	13	29	3,3
Groseille blanche	40	2	268	9	30	7
Kaki	69	4	170	8	8	11
Kiwi	51	4	295	24	38	4,8
Litchi	74	2	182	10	9	9,7
Mandarine	46	2	155	11	41	3
Mangue	56	5	190	18	12	6,5
Melon	54	10	260	15	18	8,2
Mirabelle	64	0	230	15	12	8,5
Mûre	48	3	189	30	44	2,6
Myrtille	86	1	65	2	10	5,3
Nèfle	32	4	263	10	19	9,2
Orange	44	3	187	11	28	4,9
Orange jus frais	44	1	157	12	11	6,9
Pamplemousse	41	1	180	10	18	6,5
Pamplemousse jus frais	38	1	142	9	10	7,5
Papaye	12	3	211	40	21	3,5
Pastèque	35	1	158	3	10	12,2
Pêche	39	1	205	9	8	12
Pêche boîtes	68	2	130	5	4	14
Poire	45	2	126	8	10	7
Poires boîtes	72	6	66	4	7	6,5
Pomme	53	2	120	5	6	11
Pomme jus commerce	48	2	116	4	7	11
Prune	52	2	221	10	14	9,3

Aliments	Cal.	Na	K	Mg	Ca	R
Raisin	70	2	192	9	18	7
Reine-Claude	57	1	243	10	13	10,2
Fruits secs -						
Oléagineux						
Abricot	256	11	1 600	65	82	11
Amande	622	4	835	250	252	1,7
Banane	346	3	1491	106	21	12
Cacahuète grillée						
non salée	597	4	720	175	74	2,9
Cacahuète grillée						
salée		2 000	720	175	74	11
Datte	273	35	750	60	63	6,4
Figue	242	40	983	87	193	3,6
Marron	195	1	707	45	33	9
Noisette	678	1	636	156	226	1,7
Noix	694	3	600	132	87	2,7
Noix de cajou salée	612	346	668	252	38	3,5
Noix de coco	376	35	379	39	20	7
Noix de pécan		3	604	142	73	2,8
Pêche	276	9	1 340	54	44	13,8
Pistache	623	650	1 020	158	136	5,7
Pruneau	236	8	950	27	41	14
Raisin	280	21	782	15	31	17
Eaux de table						
et eaux minérales						
(mg/litre)						
Arvie		650	130	92	170	3
Badoit		160	10	100	200	0,60
Contrex		7	3	84	467	0,02
Cristalline		8	2	36	165	0,05
Evian		5	1	24	78	0,06
Hépar		14	4	110	555	0,03

Aliments	Cal.	Na	K	Mg	Ca	R
Perrier		9	1	3	147	0,07
Quézac		255	52	100	252	0,90
St-Yorre		1 708	132	11	90	18,2
Ste-Marguerite		316	34	71	116	1,88
Valvert		2	0,2	2	68	0,03
Vichy-Célestins		1 265	71	9	90	13,5
Vittel Grande source		3,8	2	36	202	0,02
Vittelliose		6	4	15	80	0,10
Volvic		9	6	6	11	0,89
Wattwiller		3	1	21	253	0,01
Boissons						
Bière	45	4	44	9	4	3,7
Cacao poudre	357	60	1 920	467	160	3,1
Café poudre	82	58	4 400	343	168	8,7
Cidre	37	6	150	4	5	17
Cognac	243	3	2			
Cola	42	6	1	1	4	1,4
Porto	160	4	75	10	5	5,3
Thé noir	164	6	1 790	184	302	3,7
Vin blanc	70	2	82	10	9	4,4
Vin rouge	70	3	100	8	7	6,9
Whisky	250	0,1	3	0,2	1,5	1,8
Divers						
Chocolat noir	490	19	397	100	95	2,1
Chocolat au lait	550	58	471	86	214	1,7
Confiture		16	102	10	2	9,8
Cornichon		2 400	140	9	10	133
Crème glacée	209	110	99		140	
Ketchup	114	1 042	363	21	22	33
Levure alimentaire	263	102	1770	230	76	6
Levure du boulanger	80	25	630	115	20	5
Mayonnaise	774	481	18	23	15	13

Aliments	Cal.	Na	K	Mg	Ca	R
Miel de fleurs	302	7	47	5	4	6
Moutarde	133	2 245	114	76	93	14
Sel de table	0	38 850	4	290	27	1 263
Sucre blanc	400	0,3	2,2	0,2	0,6	3,1
Sucre roux	390	40	320	22	85	3,3
Vinaigre	24	20	90	16	15	3,5

Quelques équivalences

1 biscotte	10 g	1 tranche de pain	
1 croissant	45 g	de mie	10 g
1/2 avocat	30 g	1/4 ananas	150 g
1 banane	150 g	1 orange	100 g
1 pomme	150 g	1/2 melon	150 g
1 part de fromage	30 g	1 yaourt	125 g
1 œuf	50 g	1 tranche de jambon	30 g
6 huîtres	50 g	1 tranche de saumon	
1 sardine	20 g	fumé	50 g
1/4 baguette	60 g		

Annexe 2 :
Tableaux de détermination de l'ovulation

Les tableaux qui suivent regroupent les résultats de sept techniques de détermination de l'ovulation. Quatre techniques ont été néanmoins écartées car elles sont peu suivies dans la pratique. Ce sont les dosages hormonaux sanguins et urinaires, l'échographie transvaginale et le volume des sécrétions. Afin d'obtenir tous les détails qui vous permettront de bien les remplir, reportez-vous au chapitre sur la « Détermination de l'ovulation ».

Nous vous avons également sélectionné un cas pratique. La durée du cycle menstruel est variable d'une femme à l'autre, allant de 25 à 35 jours. Cependant, nous avons retenu la durée moyenne, fréquemment observée, qui est de 28 jours. Si vos cycles durent plus de 28 jours, votre ovulation survient très probablement avant le 25e jour, et par conséquent ces tableaux peuvent être utilisés même partiellement (et complétés par une feuille à part).

Il a été tout à fait volontaire de choisir un exemple où le jour de l'ovulation correspond au milieu du cycle et où la méthode du calcul a permis de le trouver. Ce n'est pas toujours le cas. Le trait tracé entre les températures 36,9° et 37° ne correspond qu'à ce cas précis. Il montre bien le décalage entre les deux phases du cycle. Dans votre cas, il peut être à 36,8° ou à un autre niveau.

Mois																														
Date																														

Courbe de Température

Orale — Rectale — Vaginale

	1	2	3	4	5	6	7	8	9	10	11	12	13	14	15	16	17	18	19	20	21	22	23	24	25	26	27	28
37,7																												
37,6																												
37,5																												
37,4																												
37,3																												
37,2																												
37,1																												
37																												
36,9																												
36,8																												
36,7																												
36,6																												
36,5																												
36,4																												
36,3																												
Règles																												
Jour du cycle	1	2	3	4	5	6	7	8	9	10	11	12	13	14	15	16	17	18	19	20	21	22	23	24	25	26	27	28

		1	2	3	4	5	6	7	8	9	10	11	12	13	14	15	16	17	18	19	20	21	22	23	24	25	26	27	28
Mois																													
Date																													
Glaire cervicale	Abondance																												
	Transparence																												
	Viscosité																												
	Elasticité																												
Tests urinaires	Heure																												
	Résultat																												
Jour du cycle		1	2	3	4	5	6	7	8	9	10	11	12	13	14	15	16	17	18	19	20	21	22	23	24	25	26	27	28
Rapports sexuels conseillés Remarques etc.																													

	1	2	3	4	5	6	7	8	9	10	11	12	13	14	15	16	17	18	19	20	21	22	23	24	25	26	27	28
Mois																												
Date																												
Point de Mittelschmertz — Côté																												
Point de Mittelschmertz — Intensité																												
Col de l'utérus — Position																												
Col de l'utérus — Consistance																												
Col de l'utérus — Orifice																												
Echographie ovarienne — Taille follicule																												
Méthode du Calcul																												
Jour du cycle	1	2	3	4	5	6	7	8	9	10	11	12	13	14	15	16	17	18	19	20	21	22	23	24	25	26	27	28

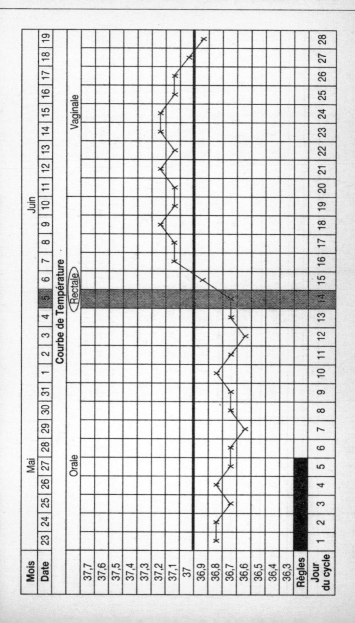

Mois	Mai									Juin																		
Date	23	24	25	26	27	28	29	30	31	1	2	3	4	5	6	7	8	9	10	11	12	13	14	15	16	17	18	19
Glaire cervicale																												
Abondance				0					peu		1 +	2 +	maxi		1 +						0							
Transparence									opaque				«eau»	op.														
Viscosité									gluante				collé	gl.														
Elasticité									peu				maxi															
Tests urinaires																												
Heure										10	10	10	10															
Résultat											0	0	x															
Jour du cycle	1	2	3	4	5	6	7	8	9	10	11	12	13	14	15	16	17	18	19	20	21	22	23	24	25	26	27	28
Rapports sexuels conseillés Remarques etc.																												

Mois	Mai									Juin																		
Date	23	24	25	26	27	28	29	30	31	1	2	3	4	5	6	7	8	9	10	11	12	13	14	15	16	17	18	19
Point de Mittelschmertz																												
Côté													D	D														
Intensité													1+	2+														
Col de l'utérus																												
Position		bas									→		haut	→							bas							
Consistance		dur									→		mou	→							dur							
Orifice		fermé									→		ouvert	→							fermé							
Echographie ovarienne																												
Taille folliculaire			croissant											20-25 mm	image floue													
Méthode du Calcul	Cycle de 28 jours, ovulation probable le : 28 – 14 = le 14ᵉ jour																											
Jour du cycle	1	2	3	4	5	6	7	8	9	10	11	12	13	14	15	16	17	18	19	20	21	22	23	24	25	26	27	28

LIVRES CONSEILLÉS

—

- *Le livre de bord de la futur maman*
  M.C. Delahaye.
  Editions Marabout, 1995.

- *Le dictionnaire de la grossesse*
  R. Frydman
  Editions Hachette, 1995.

- *Naître*
  Editions Hachette, 1993.

- *Une année dans la vie d'une femme*
  de la conception d'un enfant au sevrage
  M. Jacquet, M. Nobécourt
  Editions Albin Michel, 1994.

- *Le Larousse des Parents* :
  la grossesse, la naissance, les soins, l'éducation
  Editions Larousse, 1995.

- *Neuf mois pour préparer sa naissance* :
  tout savoir pour bien vivre votre grossesse et l'arrivée
  de bébé.
  F. Planiol, E. Raoul
  Editions Hachette, 1996.

- *Guide de la future maman*
  A.-P. Wattel
  Editions Marabout, 1996.

- *Les 1000 premiers jours de la vie*
  M. Massonnaud, T. Joly
  Editions Hachette, 1994.

BIBLIOGRAPHIE

—

Avant-propos
Pourquoi une telle injustice ?

1. Liu P., Rose G.A.
   Social aspects of > 800 couples coming forward for gender selection of their children.
   Hum. Reprod. 1995, 10 : 968

2. Monde 1996, 26 mars : 22

3. Monde 1993, 3 fév. : 11

4. Pebley A.R., Westoff C.F.
   Women's sex preferences in the United States : 1970 to 1975.
   Demography 1982, 19 : 177

5. Westoff C.F., Rindfuss R.R.
   Sex preselection in the United States : some implications.
   Science 1974, 184 : 633

L'aventure à travers les siècles

1. Cohen J.
   Contracept. Fertil. Sex. 1995, 23 : 315

2. Dawson E.R.
   The causation of sex.
   London 1909, HK Lewis.

3. Gledhill B.L.
   Gamete Res. 1988, 20 : 377

4. Graham H.
   Eternal Eve.
   Garden City, Doubleday & Co, New York 1951 : 41

5. Hann J.
   The perfect baby ?
   Widenfeld & Nicolson, London 1982, p. 93

6. Hippocrates
   Hippocratic writings, edited by GER Llyod, translated by IM Lonie ; New York : Penguin, 1978

7. Kisch
   Relation of the sex of the children to the age of parents.
   Br. Med. J. 1887, 1 : 349

8. Murphree A.H.
   A functional analysis of southern folk beliefs concerning birth.
   Am. J. Obstet. Gynecol. 1968, 102 : 125

9. Rinehart W.
   Sex preselection not yet practical.
   Population Reports 1975, Series L, N° 2, pp. 21-32

10. Roberts C.
    Nature's plan in the determination of the sexes.
    Lancet 1880, 2 : 926-8

11. Rowland B.
    Medieval women's guide to health.
    Kent, Ohio : Kent State Univ. Press 1981.

12. Sadler M.T.
    The law of population.
    London : John Murray, 1830.

13. Schaffir J.
    Perspect. Biol. Med. 1991, 34 : 516

14. Shettles L.B., Rorvik D.M.
    How to choose the sex of your baby.
    Doubleday, New York 1989

15. Zarutskie P.W. et al.
    The clinical relevance of sex selection techniques.
    Fertil. Steril. 1989, 52 : 891

La fertilité

1. Auger J., Kunstmann J.M., Czyglik F., Jouannet P.
   Decline in semen quality among fertile men in Paris during the past 20 years.
   N. Engl. J. Med. 1995, 332 : 281

2. Baird D.D., Weinberg C.R., Voigt L.F., Daling J.R.
   Vaginal douching and reduced fertility.
   Am. J. Public Health 1996, 86 : 844

3. Barrière P. et al.
   Pratique de la procréation médicalement assistée.
   Editions Masson, Paris 1993

4. Baudet J.H., Seguy B., Aubard Y.
   Gynécologie.
   Editions Maloine, Paris 1992

5. Bringer J.
   Poids et fertilité.
   Rev. Prat. 1993, 43 : 2236

6. Brotons J.A. et al.
   Xenoestrogens released from lacquer coatings in food cans.
   Environ. Health Perspect. 1995, 103 : 608

7. Bujan L., Mansat A., Pontonnier F., Mieusset R.
   Time series analysis of sperm concentration in fertile men in Toulouse, France between 1977 and 1992.
   Br. Med. J. 1996, 312 : 471

8. Bujan L., Mieusset R.
   Température et fertilité masculine.
   Contracept. Fertil. Sex. 1996, 24 : 429

9. Bujan L., Mieusset R., Mansat A., Pontonnier F.
   Conditions de travail, spermatogenèse et fertilité masculine.
   Arch. Mal. Prof. 1988, 49 : 97

10. Carlsen E. et al.
    Evidence for decreasing quality of semen during past 50 years.
    Br. Med. J. 1992, 305 : 609

11. Cohen J.
    Les stérilités et hypofertilités masculines.
    Editions Masson, Paris 1977

12. Dawson E.B. et al.
    Effect of ascorbic acid supplementation on the sperm quality of smokers.
    Fertil. Steril. 1992, 58 : 1034

13. Denis-Lempereur J.
    Un coup d'épée dans l'eau.
    Sci. Vie 1991, 887 : 94

14. Feichtinger W.
    Environmental factors and fertility.
    Hum. Reprod. 1991, 6 : 1170

15. Irvine S. et al.
    Evidence of deteriorating semen quality in the United Kingdom.
    Br. Med. J. 1996, 312 : 467

16. Joesoef M.R. et al.
    Fertility and use of cigarettes, alcohol, marijuana and cocaine.
    Ann. Epidemiol. 1993, 3 : 592

17. Merlet F.
    Age du père et qualité du sperme.
    In : Age et Reproduction ; Journées parisiennes de gynéco-
    logie.
    Editions Masson, Paris 1994

18. Nehlig A., Debry G.
    J. Gynécol. Obstét. Biol. Reprod. 1994, 23 : 241

19. Spira A.
    Epidemiology of human reproduction.
    Hum. Reprod. 1986, 1 : 111

20. Thompson S.T.
    Preventable causes of male infertility.
    World J. Urol. 1993, 11 : 111

21. Thonneau P., Ducot B., Bujan L., Mieusset R., Spira A.
    Heat exposure as a hazard to male fertility.
    Lancet 1996, 347 : 204

22. Univers Santé 1995, 1 : 17

23. Vine M.F., Tse C.K., Hu P., Truong K.Y.
    Cigarette smoking and semen quality.
    Fertil. Steril. 1996, 65 : 835

24. Zaadstra B.M. et al.
    Moderate drinking : no impact on female fecundity.
    Fertil. Steril. 1994, 62 : 948

La méthode diététique

1. Apfelbaum M., Forrat C., Nillus P.
   Diététique et nutrition.
   Editions Masson, Paris 1995

2. *Traité de l'alimentation et du corps.*
   Sous la direction de Apfeldorfer G.
   Editions Flammarion, Paris 1994

3. Broer K.H., Winkhaus I., Sombroek H., Kaiser R.
   Frequency of Y-chromatin bearing spermatozoa in intra-cervical and intrauterine postcoital tests.
   Int. J. Fertil. 1976, 21 : 181

4. Brotons J.A. et al.
   Xenoestrogens released from lacquer coatings in food cans.
   Environ. Health Perspect. 1995, 103 : 608

5. Carr D.H.
   Adv. Hum. Genetics 1971, 2 : 243

6. Duc M.
   De l'influence des apports nutritionnels en ions K, Na, Ca, Mg sur le sexe ratio chez l'homme.
   Thèse de doctorat en médecine, Paris 1977

7. *Alimentation et nutrition humaines.*
   Coordinateurs Dupin H., Cuq J.L., Malewiak M.I., Leynaud-Rouand C., Berthier A.M.
   Edition ESF, Paris 1992

8. Favier J.-C., Ireland-Ripert J., Feinberg M.
   Répertoire général des aliments.
   Lavoisier Tec. & Doc., Paris 1995

9. Groupe d'animation et d'impulsion nationale.
   L'obstétrique en France.
   Edité par CNAM, 1991

10. Herbst C.
    Roux Arch f Entwicklungsmech 1935, 132 : 578

11. Holland et al.
    The composition of foods.
    Royal society of chemistry, Letchworth 1991

12. Impact Médecin Hebdo 1995, 291 : 85

13. Jacotot B., Le Parco J.-C.
    Nutrition et alimentation.
    Editions Masson, Paris 1992.

14. Le Journal des Français Santé.
    1996, n° 29

15. Klein S.
    Sélection préconceptionnelle du sexe par le régime alimentaire.
    Thèse de doctorat en médecine, Paris 1989

16. Legros R.
    Tératospermie et grossesse.
    Presse Méd. 1963, 71 : 1063

17. Lorrain J. et Gagnon R.
    Sélection préconceptionnelle du sexe.
    Union Méd. Can. 1975, 104 : 800-3

18. Mohtadji-Lamballais C.
    Les Aliments.
    Editions Maloine, Paris 1989

19. Papa F., Henrion R., Breart G.
    Sélection préconceptionnelle du sexe par la méthode ionique.
    J. Gynécol. Obstét. Biol. Reprod. 1983, 12 : 415

20. Poissonnet C.-M.
    L'encyclopédie de la nutrition. Guide des aliments et des régimes.
    Editions du Rocher, Paris 1991.

21. Randoin L. et al
    Tables de composition des aliments.
    Editions Jacques Lanore, Paris 1993

22. Scarbow, Bill Davidson
    Text book of Physiology and Biochemestry.
    Levingston 1963

23. Schwartz D.
    Le choix du sexe est-il possible chez l'homme?
    In : La fécondation, Thibault C. Editions Masson, Paris
    1975, pp. 95-112

24. Shettles L.B.
    Human spermatozoa shape in relation to sex ratios.
    Fertil. Steril. 1961, 12 : 502

25. Shettles L.B.
    Nuclear morphology of human spermatozoa.
    Nature 1960, 186 : 648

26. Souci S.W., Fachmann W., Kraut H.
    Food Composition and Nutrition Tables, 3rd edition.
    Deutsche Forschungsanstalt für Lebensmittelchemie, Garching b. München 1994.

27. Stolkowski J., Choukroun J.
    Preconception selection of sex in man.
    Isr. J. Med. Sci. 1981, 17 : 1061

28. Stolkowski J., Lorrain J.
    Preconceptional selection of fetal sex.
    Int. J. Gynaecol. Obstet. 1980, 18 : 440

29. Stolkowski J. et Duc M.
    Rapports ioniques (K/Ca + Mg et K + Na/Ca + Mg) dans l'alimentation des femmes n'ayant que des enfants du même sexe.
    Union Méd. Can. 1977, 106 : 1351

30. Sung Lee B., Kiichi T.
    Am. J. Obstet. Gynecol. 1970, 108 : 1294

31. Tarin J.J. et al.
    Hum. Reprod. 1995, 10 : 2992

32. Veit R.C. & Jewelewicz R.
    Gender preselection : facts and myths.
    Fertil. Steril. 1988, 49 : 937

33. Dictionnaire VIDAL
    Editions du Vidal, Paris 1996

34. Wilcox A.J., Weinberg C.R., Baird D.D.
    N. Eng. J. Med. 1995, 333 : 1517

Méthodes naturelles

1. Barlow P. & Vosa C.G.
   The Y chromosome in human spermatozoa.
   Nature 1970, 226 : 961

2. Baudet J.H., Séguy B., Aubard Y.
   Gynécologie.
   Editions Maloine, Paris 1992

3. Benendo F.
   The problem of sex determination in the light of own investigation.
   Endokr. Pol. 1970, 21 : 265

4. Billings E.L. & Westmore A.
   Scientific research on the Billing's method.
   In : The Billings method. Penguin Books, New York 1982

5. Billings E.L., Billings J.J., Brown J.B., Burger H.G.
   Symptoms and hormonal changes accompanying ovulation.
   Lancet 1972, 1 : 282

6. Billings J.J.
   The ovulation method.
   Melbourne 1971.

7. Broer K.H., Winkhaus I., Sombroek H., Kaiser R.
   Frequency of Y-chromatin bearing spermatozoa in intracervical and intrauterine postcoital tests.
   Int. J. Fertil. 1976, 21 : 181

8. Carr D.H.
   Adv. Hum. Genetics 1971, 2 : 243

9. Collins W. et al.
   Hum. Reprod. 1991, 6 : 319

10. Collins W.P.
    Hormonal indices of ovulation, the fertile period.
    Adv. Contracept. 1985, 1 : 279

11. Cui K., Mattews C.D.
    X larger than Y.
    Nature 1993, 366 : 117

12. De Tourris H., Henrion R., Delecour M.
    Gynécologie et Obstétrique.
    Editions Masson, Paris 1994.

13. Ericsson R.J., Langevin C.N., Nishino M.
    Isolations of fractions rich in human Y sperm.
    Nature 1973, 246 : 421

14. Feinstein M.C., Netter P.A.
    La détection à domicile du pic de LH.
    Actualités gynécologiques 1988, 19e série.

15. Gross B.A.
    Clin. Reprod. Fertil. 1987, 5 : 91

16. Guerrero R.
    Association of the type and time of insemination within the menstrual cycle with the human sex ratio at birth.
    N. Engl. J. Med. 1974, 291 : 1056

17. Kaiser R., Broer K.H., Citoler P. & Leister B.
    Penetration of spermatozoa with Y-chromosomes in cervical mucus by an in-vitro test.
    Geburtsh. u. Frauenheilk. 1974, 34 : 426

18. Kaspa L.T. et al.
    How often should infertile men have intercourse to achieve conception ?
    Fertil. Steril. 1994, 62 : 370

19. Katz D.
    Human cervical mucus, research update.
    Am. J. Obstet. Gynecol. 1991, 165 : 1984

20. Kleegman S.J.
    Can sex be planned by the physician ?
    Fertil. Steril. 1967 : Proceedings of the 5th world congress, edited by Westin B. & Wiqvist.
    International Congress Series n° 133, Excerta Medica Foundation, Amsterdam, pp.1185

21. Kleegman S.J.
    Therapeutic donor insemination.
    Fertil. Steril. 1954, 5 : 7

22. Kleegman S.J. (1946)
    Discussion in : Diagnosis in Sterility.
    Ed. Eagle, Charles E.T. & Thomas C., Springfield, III

23. Legros R.
    Tératospermie et grossesse.
    Presse Méd. 1963, 71 : 1063

24. Masters W., Johnson V., Koldony R.
    Amour et sexualité.
    Interéditions, Paris 1987

25. Pearson P.L., Garaedts J.P.M., Pawlowitzki I.H.
    Chromosomal studies on human male gametes.
    Edited by A. Boué, C. Thibault. Paris 1973, Centre international de l'enfance : 219

26. Pommerenke W.T., Rochester N.Y.
    Cyclic changes in the physical and chemical properties of cervical mucus.
    Am. J. Obstet. Gynecol. 1946, 52 : 1023

27. Roberts E.
    J. Hered. 1940, 31 : 499

28. Rohde W., Postermann T. & Dörner G.
    Migration of Y-bearing human spermatozoa in cervical mucus.
    J. Reprod. Fert. 1973, 33 : 167

29. Rossignol J.L.
    Génétique.
    Editions Masson, Paris 1995

30. Scarbow, Bill Davidson
    Text book of Physiology and Biochemestry.
    Levingston 1963

31. Seguy B.
    La sélection volontaire du sexe.
    J. Gynécol. Obstét. Biol. Reprod. 1975, 4 : 29

32. Seguy B.
    Les méthodes de sélection naturelle et volontaire des sexes.
    J. Gynécol. Obstét. Biol. Reprod. 1975, 4 : 145

33. Seguy B.
    Détermination et sélection volontaires du sexe.
    Nouv. Presse Méd. 1976, 5 : 503

34. Shettles L.B.
    Obstet. Gynecol. 1978, 51 : 513

35. Shettles L.B.
    Factors influencing sex ratios.
    Int. J. Gynaecol. Obstet. 1970, 8 : 643

36. Shettles L.B.
    Human spermatozoa shape in relation to sex ratios.
    Fertil. Steril. 1961, 12 : 502

37. Shettles L.B.
    Nuclear morphology of human spermatozoa.
    Nature 1960, 186 : 648

38. Sung Lee B., Kiichi T.
    Am. J. Obstet. Gynecol. 1970, 108 : 1294

39. Usala J.S. & Schumacher G.F.B.
    Fertil. Steril. 1983, 39 : 304

40. Weinberg C.R., Baird D.D., Wilcox A.J.
    Hum. Reprod. 1995, 10 : 304

Les méthodes médicalement assistées

1. Adimoelja A.
   Sephadex gel for sex preselection. In «New horizons in sperm cell research». Ed. H. Mohri, Gordon & Breach Science Publishers, New York 1987 : 491

2. Allais C.
   Génétique et éthique.
   Editions Hachette, Paris 1995

3. Annual meeting of the pacific coast.
   Fertility Society of the USA, april 1993.

4. Ashwood-Smith M.J.
   Safety of human sperm selection by flow cytometry.
   Hum. Reprod. 1994, 9 : 757

5. Ben-Porath Y., Welch F.
   Do sex preferences really matter ?
   Quart. J. Econ. 1976, 90 : 285

6. Bennett D., Boyce E.A.
   Nature 1973, 246 : 308

7. Broer K.H., Winkhaus I., Sombroek H., Kaiser R.
   Frequency of Y-chromatin bearing spermatozoa in intra-cervical and intrauterine postcoital tests.
   Int. J. Fertil. 1976, 21 : 181

8. Check J.H., Kastoff D.
   Hum. Reprod. 1993, 8 : 211

9. Corson S.L. & Batzer F.R.
   Human gender selection.
   Semin. Reprod. Endocrinol. 1987, 5 : 81

10. Cran D.G. et al.
    Vet. Rec. 1993, 132 : 40-1

11. Cui K.H. et al.
    Hum. Reprod. 1993, 8 : 621

12. Dmowski W.P. et al.
    Use of albumin gradients for X and Y sperm separation and clinical experience with male sex preselection.
    Fertil. Steril. 1979, 31 : 52

13. Ericsson S.A., Ericsson R.J.
    Sex ratio of male sex preselected children born to couples with exclusively female offspring.
    Arch. Androl. 1992, 28 : 121

14. Ericsson R.J.
    Les spermatozoïdes X et Y.
    Contracept. Fertil. Sex. 1976, 4 : 655

15. Ericsson R.J., Langevin C.N. & Nishino M.
    Isolations of fractions rich in human Y sperm.
    Nature 1973, 246 : 421

16. Gametrics Limited, USA. March 96.
    Communication personnelle

17. Geier M., Young J., Kessler D.
    Too much or too little science in sex selection techniques ?
    Fertil. Steril. 1990, 53 : 1111

18. Gelehrter T.D., Collins F.S.
    Principes de génétique moléculaire et médicale.
    Editions Pradel 1991

19. Glass R.H.
    Sex preselection.
    Obstet. Gynecol. 1977, 49 : 122

20. Griffith-Jones M.D. et al.
    Detection of fetal DNA in trans-cervical swabs.
    Br. J. Obstet. Gynaecol. 1992, 99 : 508

21. Han T.L., Flaherty S.P., Ford J.H., Matthews C.D.
    *Detection of X-bearing and Y-bearing human spermatozoa
    after motile sperm isolation by swim-up.*
    Fertil. Steril. 1993, 60 : 1046

22. Handyside A.H. et al.
    N. Engl. J. Med. 1992, 327 : 905

23. Handyside A.H. et al.
    *Pregnancies from biopsied human preimplantation
    embryos sexed by Y-specific DNA amplification.*
    Nature 1990, 344 : 768

24. Handyside A.H. et al.
    *Biopsy of human preimplantation embryos and sexing by
    DNA amplification.*
    Lancet 1989, i : 347

25. Iizuka R., Kaneko S., Aoki R., Kobayashi T.
    *Sexing of human sperm by discontinuous percoll density
    gradient and its clinical application.*
    Hum. Reprod. 1987, 2 : 573

26. James W.H.
    Sex ratio and the sex composition of the existing sibs
    Ann. Hum. Genet. 1975, 38 : 371

27. Johnson L.A.
    Reprod. Fertil. Dev. 1995, 7 : 893

28. Johnson L.A. et al.
    Gender preselection in humans? Flow cytometric separa-
    tion of X and Y spermatozoa for the prevention of X-linked
    diseases.
    Hum. Reprod. 1993, 8 : 1733

29. Johnson L.A.
    Reprod. Dom. Anim. 1991, 26 : 309

30. Johnson L.A., Flook J.P., Hawk H.W.
    Biol. Reprod. 1989, 41 : 199

31. Kaiser R., Broer K.H., Citoler P. & Leister B.
    Penetration of spermatozoa with Y-chromosomes in cervi-
    cal mucus by an in-vitro test.
    Geburtsh. u. Frauenheilk. 1974, 34 : 426

32. Kaneko S., Yamaguchi J., Kobayashi T., Iizuka R.
    Separation of human X- and Y-bearing sperm using Per-
    coll density gradient centrifugation.
    Fertil. Steril. 1983, 40 : 661

33. Legros R.
    Tératospermie et grossesse.
    Presse Méd. 1963, 71 : 1063

34. Levinson G. et al.
    DNA-based X enriched sperm separation as an adjunct to
    preimplantation genetic testing for prevention of X-linked
    disease.
    Hum. Reprod. 1995, 10 : 979

35. Lo Y.M.D. et al.
    Prenatal sex determination by DNA amplification from
    maternal peripheral blood.
    Lancet 1989, ii : 1363

36. Nuttal N., Watt N.
    Sex selection birth clinic prompts wave of protest.
    Times 1993, 23 jan : 3

37. Pyrzak R.
    Separation of X and Y-bearing human spermatozoa using albumin gradients.
    Hum. Reprod. 1994, 9 : 1788

38. Pyrzak R. & Garrison C.P.
    J. Androl. 1990, 11 : 46

39. Pergament E. et al.
    Sexual differenciation and preimplantation cell growth.
    Hum. Reprod. 1994, 9 : 1730

40. Quinlivan W.L.G. et al.
    Separation of human X and Y spermatozoa by albumine gradients and sephadex chromatography.
    Fertil. Steril. 1982, 37 : 104

41. Quotidien du Médecin 1996, 18 nov. : 3

42. Reubinoff B.E., Schenker J.G.
    New advances in sex preselection.
    Fertil. Steril. 1996, 66 : 343

43. Rohde W., Postermann T. & Dörner G.
    Migration of Y-bearing human spermatozoa in cervical mucus.
    J. Reprod. Fert. 1973, 33 : 167

44. Rossignol J.L.
    Génétique.
    Editions Masson, Paris 1995

45. Sheldon T.
    Dutch sex selection clinic faces opposition.
    Br. Med. J. 1995, 311 : 10

46. Steeno O., Adimoelja A., Steeno J.
    Separation of X- and Y-bearing human spermatozoa with the sephadex gel-filtration method.
    Andrologia 1975, 7 : 95

47. Takabayashi H. et al.
Development of non-invasive fetal DNA diagnosis from maternel blood.
Prenatal Diagn. 1995, 15 : 74

48. Tarin J.J. et al.
Sex selection may be inadvertently performed in in-vitro fertilization-embryon transfer programmes.
Hum. Reprod. 1995, 10 : 2992

49. Urry R.L. et al.
Fertil. Steril. 1988, 49 : 1036

50. Verlinsky Y. et al.
Preimplantation diagnosis of genetic and chromosomal disorders.
J. Assist. Reprod. Genetics 1994, 11 : 236

51. Vidal F. et al.
Hum. Reprod. 1993, 8 : 1740

52. Wang H.X. et al.
Hum. Reprod. 1994, 9 : 1265

53. White I.G., Mendoza G. & Maxwell W.M.C.
Preselection of sex of lambs by layering spermatozoa on protein columns.
In Reproduction in Sheep. Eds Lindsay D.R. & Pearce D.T., 1984 - Aust. Acad. Sci., Canberra, Australia, pp. 299-300

54. Communications personnelles

Les conséquences
Conclusion

1. Arnold F.
   Sex preference for children and its demographic and health implications.
   Demographic and Health Surveys World Conference, Washington, 5-7 August 1991.

2. Cronk L.
   Parental favoritism toward daughters.
   Am. Sci. 1993, 81 : 272

3. Khatamee M.A. et al.
   Sex preselection in New York city : who chooses which sex and why.
   Int. J. Fertil. 1989, 5 : 353

4. Kumar.A.
   Prevention or perpetuation of female deaths.
   Hum. Reprod. 1995, 10 : 1319

5. Langaney A.
   Sci. et Vie, 1993, 907 : 65

6. Liu P., Rose G.A.
   Social aspects of > 800 couples coming forward for gender selection of their children.
   Hum. Reprod. 1995, 10 : 968

7. McKusick V.A.
   « Mendelian Inheritance in Man », The John Hopkins University Press, Baltimore 1994

8. Monde 1996, 26 mars : 22

9. Pebley A.R., Westoff C.F.
   Women's sex preferences in the United States : 1970 to 1975.
   Demography 1982, 19 : 177

10. *Son preference endangers girls.*
    Population Reports 1994, series M, vol. 22, n° 1.

11. Rahman M., Akbar J., Phillips J.F., Becker S.
    Contraceptive use in Matlab, Bangladesh : the role of gender preference.
    Stud. Fam. Plann. 1992, 23 : 229

12. Sci. Vie 1993, 907 : 66

13. Selby J.
    Jack or Jill ?
    Lancet 1993, 341 : 727

14. Sjögren B.
    Parental attitudes to prenatal information about the sex of the fetus.
    Acta Obstet. Gynecol. Scand. 1988, 67 : 43

15. Ullman J.B., Fidell L.S.
    Gender selection and society.
    In : Offerman-Zuckerberg J., ed.
    Gender in transition : a new frontier, New York : Plenum, 1989.

16. Westoff C.F., Rindfuss R.R.
    Sex preselection in the United States : some implications.
    Science 1974, 184 : 633

17. Symposium international sur l'éthique en médecine et biologie de la reproduction.
    Paris - UNESCO, 6-8 juillet 1994.

TABLE DES MATIÈRES

—

Au catalogue Marabout

Enfants - Education

IMPRESSION : BUSSIÈRE S.A., SAINT-AMAND (CHER). — Nº 478

D.L. MARS 1997/0099/87

ISBN 2-501-02840-6

Imprimé en France